新装版

浄土高僧和讃講話

川瀬和敬

法藏館

目次

本書は、平成六（一九九四）年刊行の『三帖和讃講話―浄土高僧和讃―』第一刷を改題し、オンデマンド印刷で再刊したものである。

凡例

一、親鸞聖人撰述の三帖和讃の中、「浄土和讃講話」と「正像末法和讃講話」とがすでに出ておりますので、「浄土高僧和讃講話」を加えて三部一連のものとすることになったのです。十数年前に出ましたものとは、筆硯を新たにしております。

一、底本は専修寺蔵三帖和讃国宝本に依りますが、「浄土高僧和讃」の題簽だけは真筆にして、以下の本文は別筆といわれております。蓮如上人文明開板本を対照し、相違する所は左横に括孤を付して示します。

一、和讃は唱和せよとの思し召しによるものか、発音の気配りが丁寧です。漢字の一々に記号を以て示します。平声《ひょうしょう》・上声《じょうしょう》・去声《きょしょう》・入声《にゅうしょう》の点符が清濁にわたって付せられますのは、点図の通りです。入声●は「清《す》うて（すみて）急なり、｜は「濁りて急なり」と示され、●●「清《す》うて緩《ゆる》なり」、○｜「濁りて緩なり」は、実際には記されていないのです。これらの記号によって、例せば「源信＝げんじん」、「門徒＝もんど」、「粟散＝そくさん」などの正しい発音を知るわけです。

一、七高僧それぞれに「付釈文」が添えてあります。この高僧の釈文に依って和讃を作るとの精密な気配りです。

一、和讃には懇切な左訓（あるいは左片名という）がほどこされていますので、この意味で読むべしとの指示と仰ぎます。仮名ばかりの原文に適当に漢字をあてて記述し、新仮名づかいに改めました。

一、和讃も左訓も片仮名ですが、平仮名に改めました。「无生の生」「无明長夜」のように、どこまでもお好みの「无」を用いましたが、「佛」とあるのを「仏」としておりますことは、自恣をお詫びします。「龍樹」の「龍」などは、地の文では「竜」の新漢字を用いました。

一、拙稿において、それぞれの和讃のうえに左訓と典拠の文とが前後しますのは、その特色を重んじた読解の都合によります。

一、典拠の原漢文を掲げるに当っては、書き下し文に改めてあります。

一、「親鸞聖人」という讃称が普遍的になっているのですが、ある教学者の「祖聖親鸞」との感動的発音に心惹かれておりますので、ここでは「祖聖」をもって通しました。

一、和讃は、祖聖がこれを読んで信心の世界に入りなさいと仰せられるままに、怠らず拝誦しているのですが、その読解には幾多の困難もあり、ただ平素より聴聞している教学者・念仏のひと・信心のひとの諸説が、私の中に綾錦となって織り成されておりまして、それをお借りしているところが多いのです。求道の人が心血を注いでたたかいとられた到達点の一句一行を、もし私のかざりとなしおわりましたところがありますならば、それは私の不信のいたすところ、伏して御宥恕を乞い上げます。

一、更に直接に明鏡としてわが道を照らして頂いた貴重な数本を掲げて、諸師に満腔の謝念を捧げます。

常磐井鸞猷　国宝本三帖和讃註解
生桑完明　親鸞聖人全集　和讃篇
高木昭良　三帖和讃の意訳と解説
伊藤博之　三帖和讃注釈（新潮古典集成）

一、本稿の出版については、法蔵館社長西村明氏のねんごろなおすすめを受け、和田真雄編集員のお力添えと励まし、高田青少年会館館長磐城龍英兄の校正お手助けを蒙ったことに、深甚なる謝意を表します。

浄土高僧和讃

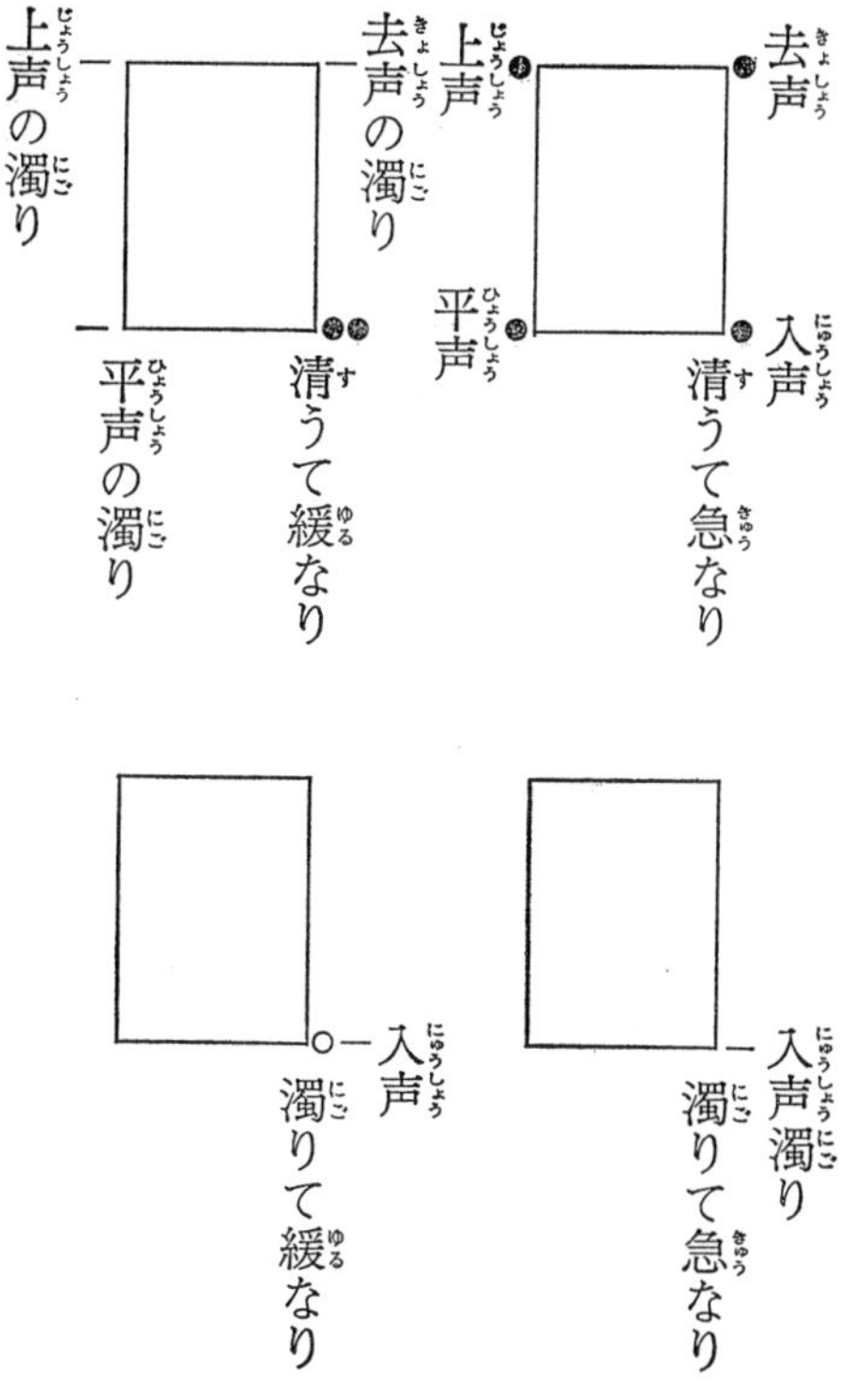

注　この発音図表は、国宝本のこの位置に、片仮名ばかりで示されている。ここでは漢字かなまじり文に改め、読み易くした。尚作図にあたっては、常磐井鸞猷著「国宝本三帖和讃註解」を参考とした。

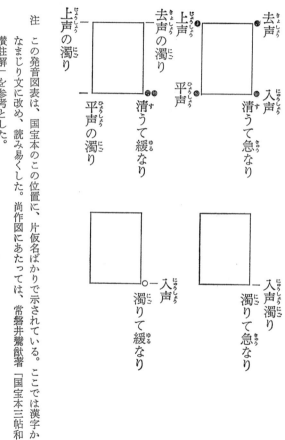

浄土高僧和讃　愚禿親鸞作

龍樹菩薩　付釈文　十首

1

本師《ほんじ》龍樹菩薩《りゅうじゅぼさつ》は
智度《ちど》十住《じゅうじゅう》毘婆沙等《びばしゃとう》
つくりておほく西をほめ
すすめて念仏せしめけり

われらの大切な師にまします龍樹菩薩は、『大智度論』とか『十住毘婆沙論』などの著述をお書きになって、その中で多くの言葉を尽くして、西方弥陀の浄土をほめたたえ、そこに生まれるためには念仏よりほかにないとの教えをすすめられました。

第一行には長い左訓がありまして、「竜樹は樹のもとに生まれてましましけるを、竜王《りゅうおう》とりて養いたりけり。後に南天竺《なんてんじく》の王の子になりたまいけり。樹のもとに生まれ、竜王養いたまいけるによりて竜樹と名づけたてまつるなり」というのですが、名の由来をここまで重んずるとはいえ、その選びにいささか疑問も感じます。

『大智度論』、百巻、後秦《こうしん》の鳩摩羅什訳《くまらじゅうやく》。『智論』・『大論』とも称し、『摩訶般若波羅蜜多《まかはんにゃはらみった》経』の詳しい解釈であり、もろもろの大乗経をおさめるので、仏教百科全書とも名づくべきです。

『十住毘婆沙論』、十七巻、同じく羅什訳。『華厳経』「十地品《じゅうじほん》」の初地・第二地の釈。その第九「易行品《いぎょうほん》」が所依の論として仰がれます。

竜樹のような、釈尊の教説の真髄を体系化しようとした、大乗の論師にして、なお衆生のために念仏をすすめられたということは、念仏道を仏道の本流とする証差なのです。かりそめの便法ではないという重さが語られているのです。

2

南天竺《なんてんじく》に比丘《びく》あらむ(ん)
龍樹菩薩となづくべし
有無《うむ》の邪見《じゃけん》を破すべしと
世尊はかねてときたまふ

南インドに一比丘が出生し、竜樹菩薩と名づけられるでしょう。その人は、すべての存在は本当に有るのだとの見方、又逆にすべての存在は無なのだという見方、このどちらかにとらえられる間違った見解を論破し、これこそ正法だという筋道のたった教えを説くであろうと、釈尊は前もってお説きになっております。

第一行には「これより南、海の中に楞伽山《りょうがせん》の主《ぬし》、大鬼王《だいきおう》あり。大乗の法を愛するによりて、釈迦如来わたらせたまいて、法を説いて聞かせたもう序《つい》でに、われ入滅の後に、幾々らありて竜樹世に出でて、外道を伏すべしと、かねて説きたもう」との左訓を見ますが、この釈迦の予言を楞《りょう》伽懸記《がけんき》と称しています。

『入楞伽経《にゅうりょうがきょう》』（元魏菩提留《げんぎぼだいる》＝流支《るし》訳、十巻）（大正大蔵経・一六巻・五六九頁）巻第九「総品」第十八之一には、

是れ皆一切は阿弥陀国より出づ乃至如来滅度の後、未来に当《まさ》に人有るべし、大慧《だいえ》汝諦聴《たいちょう》せよ、人有りてわが法をたもつ、南大国中において、大徳比丘あり、竜樹菩薩と名づく、能《よ》く有無の見を破す、人の為にわが法大乗無上の法を説く、歓喜地《かんぎじ》を証得して、安楽国に往生す乃至因縁中物有り、愚かなるもの有無を分別す、邪見二邪法、われわが法を離るを知る。乃至聖人の境界の如き、愚人知ること能わず。

とありますが、これに依られたことは明瞭で、次の第三首にも及びます。

この有無の邪見について、浄土の知見の上で殊に大切です。浄土は真実有ですが、三有生死のような虚妄の存在ではありません。分別の妄見から有ると主張するならば、無という識見も成り立ちます。妄分別からすれば、この世は確実に有の世界であって、その他のものは妄想の描いた幻に過ぎないわけです。此の土は有るという視点に立てば、浄土は主観の影像にほかなりませんが、浄土の真実に目覚めた人の眼には、この土の虚妄の姿が能く見えるのです。しかも虚妄だからといって、ないがしろにするのでなく、浄土の光に照らされて、此の土の重さが始めて見えて

くるのです。浄土を見ずしては此の土の意味は読めないのです。我執のとりこになってそこから出てきた有無の邪見がすたらなければ、有と無とのたしかな意味は生きません。

竜樹は、その著『中論』において、とらわれのすべてを破るために、空とか仮とかをもってよく思索し、生滅《しょうめつ》・去来《こらい》・一異・断常という八つの迷いを検尋し、たしかにつかんだという誤認をはらいのけるために、八不《はっぷ》中道を掲揚《けいよう》したのです。否定を徹底し、その否定にとらえられてはいけないので、それらを破って超えて包むから、中道というのです。まん中の道ではなく、正道にあたるがゆえに、ここからほんものが動き、はたらくのです。

3
本師《ほんじ》龍樹菩薩は
大乗无上《む》の法をとき
歓喜地《かんぎじ》を証《しょう》してぞ
ひとえに念仏すすめける

われらの師にましますは竜樹菩薩は、自分ひとりでなくもろ人とともに乗せてわたされる、この上もなくすぐれたみのりを説き、自らは菩薩の修行を積んで十地の第一段階たる歓喜地に到達し、初めて无上のよろこびを得るというさとりが開けて、もろ人のためにひたすら念仏をすすめて、歓喜を得よと呼びかけられたのです。

この「本師」の敬称については、和讃の上に多く見られるのですが、曇鸞《どんらん》大師の『讃《さん》阿弥陀仏偈《げ》』の終りに近く「本師竜樹摩訶薩《まかさつ》」とか「南無慈悲竜樹尊」とかあるところから、ならわれたもののようです。摩訶薩は菩薩のことです。歓喜地を証して、阿弥陀仏に帰して安楽仏国に生じたゆえに、本師と称したのです。

「歓喜地」には「歓喜地は正定聚《しょうじょうじゅ》の位《くらい》なり。身によろこぶを歓という。心によろこぶを喜という。得べきものを得てむずと思いて、よろこぶを歓喜という」と左訓されます。ここから一つには歓喜地は不退の位であり、また正定聚の位として定着し、信心の人が現生《げんしょう》においてこの境位を得ることが如来の恩恵であることを、繰返し確信にみちてかがやかしく説かれるのです。もう一つは、歓喜を身と心とに分けてのよろこびとすることとです。ここに生死を超えたものを感じます。これによって煩悩をもととするよろこびとは、全く異質であることを知ります。

「えてむす」は「えてむとす」「えてしまおうとする」「えたものとしてしまう」と解すると聞きます。菩薩修行の段階でいえば、この歓喜地までのぼれて、退転の憂えはなくなったのであるから、仏果菩提を得たと同然の境位に住する、得たものとしてしまうことができるのです。この難行道における歓喜地開発への到達と、易行道によるところの信心獲得《ぎゃくとく》の歓喜と、変わるものでないことをあらわそうとするのが、この和讃の卓越性です。信心の定まるとき往生もまた定まって、時間的隔《へだ》たりはないのですから、往生すればすなわち成仏という果は、まだ得ていなくても、部分的な歓喜ではなくして、身心を挙げ尽くしての歓喜となっているのです。歓喜はそのまま信心であり、信心は仏心のはたらきであるから、踊躍《ゆやく》なんていうものとは体質がちがうのです。今まで経験内容としてもっていたよろこびの、同質向上として出てきたものではないのです。今までのよろこびを破るものなのです。見聞《けんもん》覚知できるよろこびをもって、信心をはかることは見当ちがいです。菩薩修行の第四十一位が初歓喜地といわれるゆえんをよく見なければなりません。この「初地」の体験によって菩薩と称されることになり、五十二位の行程たる十信・十住・十行・十廻向・十地・等覚・妙覚の全体が、ここに生きてくるのです。他のために命を尽くすのが菩薩ですから、初歓喜地の体験は決して自己内にとどまるものでなく、もろ人に開放せずにおれない必然性をもっているのです。

このように内意を探ることによって、第三行と第四行との間に自らなる流れを見るのです。独自希有《けう》の方法によって初歓喜地を得つつも、もろ人ともにこの境位にのぼれかしと、易行の念仏をすすめて広開されたというのです。

4

龍樹大士《だいじ》よにいでて
難易《なんい》ふたつのみちをとき（おしへ）
流転輪回《るてんりんね》のわれらおば
弘誓《ぐぜい》のふねにのせたまふ

大士とは、最高最大の責務にいそしむ菩薩の敬称です。竜樹菩薩は大きな使命をもってこの世に出現されまして、仏教の導き方について、二つの道のあることを説き、それは聖道門難行と浄土門易行として示されました。志のたしかなものだけが選ばれるということになると、仏教が狭い門となって、絶望者があふれることになりますので、万人に開放された、往き易く行じ易い道のあることを開示されましたことは、はかりなき功績です。

迷いの暗い海に、さすらい、うつり、めぐり、またたちかえるわれらを、見捨てることなく、弥陀の本願弘誓の船に乗せて、やすやすとさとりの国へはこびたもう易行の法門があったのです。

5　本師龍樹菩薩の
　おしえをつたえきかむ（ん）ひと
　本願こころにかけしめて
　つねに弥陀を称すべし

われらの大切な師たる竜樹菩薩の、お伝え下さった易行の教えを、聞くことのできたひとは、念仏を選び取って本願としたもうた、その本願をつつしみうやまい、つねにたえずこころにおもいいでて、おもいのうごくごとに弥陀のおん名をとなえずにはおれないのです。

「正信偈」竜樹章に、

弥陀仏の本願を憶念《おくねん》すれば、自然《じねん》に即の時必定《ひつじょう》に入る。唯能く常に如来の号《みな》を称して、大悲弘誓の恩を報ずべしといへり。

と述べるところです。

6
不退のくらゐすみやかに
えむ《(ん)》とおもはむ《(ん)》ひとはみな
恭敬《くぎょう》の心に執持《しゅうじ》して
弥陀の名号称すべし

第四首と同じく『十住毘婆沙論』「易行品」の文によるものです。『論註』に、

謹んで龍樹菩薩の『十住毗婆沙』を案ずるにいわく、菩薩阿毗跋致《あびばっち》（不退転《ふたいてん》）を求むるに二種の道あり、一には難行道、二には易行道なり。

と述べて、難行道はただ自力ばかりの頑張りであって、仏力たる他力の護持をたのまないから成就するものでないとし、さて、

易行道とはいわく、ただ信仏の因縁をもって浄土に生ぜんと願ず、仏願力に乗じてすなわち彼の清浄の土に往生を得しむ。仏力住持してすなわち大乗正定《しょうじょう》の聚《じゅ》に入る、正定はすなわちこれ阿毗跋致なり。譬《たと》えば水路に船に乗ずれば楽しきが如し。此の无量寿経優婆提舎《うばだいしゃ》は、蓋《けだ》し上衍《えん》の極地、不退の風航《ふうこう》なるものなり。

と述べて、願船に乗ずるとき不退の位を得るのは容易であることを、順風満帆《まんぱん》の「不退の風航」と掛けてあるのです。祖聖の現生不退、現生正定について、『尊号真像銘文《そんごうしんぞうめいもん》』よりその一つを選びます。

不退といふは、仏にかならずなるべき身と、さだまる位なり。これすなわち正定聚の位にい

たるをむねとすと、ときたまえるみのりなり。

と。

「恭敬」について、「つつしみ、うやまう」との左訓に加えて、「小乗おば供養《くよう》という、大乗おば恭敬という」との注目すべき課題を与えられるのです。恭は自分の身を謙遜《けんそん》すること、敬は法を尊敬すること、これによって機を信じ法を信じる信心のすがたとみます。それでは小乗大乗とは何の意味でしょうか。『十住毘婆沙論』「釈願品《しゃくがんほん》」第五の初めに、

小乗の法を以て、衆生を教化《きょうけ》するを名づけて供養となす。辟支仏《びゃくしぶつ》の法を以て、衆生を教化するを名づけて奉給となす。大乗の法を以て、衆生を教化するを名づけて恭敬となす。

とあることによって、供養と恭敬との対比もいささか読むことができ、ともに教化を離れてはありえないことにこころしたいものです。この供養は読経礼讃などの行供養を意味するもので、真宗教団内にひろく温存されている「供養」の用語は、民衆の功利罪福心と強く結びついて離れ難く、深くその内意をきわめることなく慣用化されて今日に及んでいる所でありまして、この対比によって廻向対不廻向の教えをこうむり、供養の不成就を返照され、供養の根強さを媒介として、これの他力的ひるがえりが「恭敬」であることを、重要視したいものです。「讃阿弥陀仏偈和讃」第三十二首には「恭敬をいたし歌嘆す」とあります。

「執持」は「とりたもつ、散らし失わず。一度とりて長くすてぬにかく」と左訓されて、名号とのかかわりがよく分かります。直ちに「念仏正信偈」竜樹章の、

応以恭敬心執持　称名号疾得不退

を読誦することに誘われます。もとは『阿弥陀経』の「執持名号」「心不顛倒《しんぷてんどう》」に由来するものでありましょうか。

往生浄土に一歩を印して退転のおそれのない境位を、一念一刻の早さで得ようとする人は誰人も、弥陀仏が名号を選んで本願としたもうた、その本願の名号を、こころをむなしくしてへりくだり、こうべにいただき、どこまでも身から離れないように、しっかりと大切にとりたもち、称名念仏にいそしむことこそが、不退転の実証の華となるということができます。

7

生死《しょうじ》の苦海ほとりなし
ひさしくしづめるわれらおば(を)
弥陀の悲願(弘誓)のふねのみぞ
のせてかならずわたしける

あるいは生じあるいは死して、生と死とをぐるぐる廻るばかりで、生死を超えることも出ることもできずに、その生死の迷いによるがゆえの苦悩は、大海原のようにはてしがなく、その海の底に長らく沈んでいたわれらにも、ここに驚き入るばかりであるのですが、弥陀の悲願はこの悲しみをわが悲しみとし、絶望的な悲しみに同じて、苦海に浮ぶ大悲の願船となって、手をさしのべて乗船せしめ、彼岸の浄土へ無事にわたそうとするはたらきがあったのです。

『大智度論』巻第八には、

生死は名号のみ有って実なし。世界の法の中には、実に生死有れども、実相の法の中には生死あることなし。復次に生死の人には生死有り、不生死の人には生死無し。何を以ての故に。不生死の人は大智慧を以て能く生相を破す。

と述べるように、悟達の智慧者には、すでに生死はないのだが、生死する人にとっては、それが虚妄《こもう》の生《しょう》であることを知らないから、その生死にゆさぶられて苦悩が絶えないのです。真実はまさしき存在であることを知らなければ、虚妄は仮に有るに過ぎないことが見えないのです。

石牟礼《いしむれ》道子氏の水俣《みなまた》病告発の書たる『苦海浄土』は、近代文明が汚した日本の大地と大海の底より発する、悲痛なうめきです。水銀に死んだ不知火《しらぬい》海沿岸を、浄土の光をもって照らしているのです。浄土がなければただ暴虐があるばかりで、人間の出来事でなくなります。この作家は幼時より生死の苦海から救われる道のあることをよく聞いていたのです。このように育てられることなくしては、浄土の眼をもって苦海を見るなど、できるわけがありません。ほとんどの知識人は、苦海浄土と聞いて、問題の所在がつかめず、ためらって逃げたと思います。国家に浄土が映され、慈悲が行ぜられることがなければ、ただ惨忍に終ります。これほどの告発に遇っても、水俣の救援が遅々としておることによって、その間の事情がよく分かります。

8　智度論にのたまはく

仏（如来）は无上法王《ほうおう》なり
菩薩は法臣《ほっしん》（皇）としたまひて
尊重《そんじゅう》すべきは世尊なり

和讃は多く『安楽集《あんらくしゅう》』の引用を通してお詠《うた》いになるのが、一つの注目すべき特色です。末法史観に立つ念仏者道綽《どうしゃく》が実証された、生きた言葉として、自己の信心をたしかめていかれるのです。ここにおいても『安楽集』下に引用された『智度論』巻第七の言葉が、三首続いて詠われます。

第一には仏は是れ無上法王なり。菩薩は法臣と為す。尊ぶ所、重くする所、ただ仏世尊なり。是の故に応に常に念仏すべきなり。

と。全くそのままです。

『論註』上にも、

明君有るときは則ち賢臣有るが如し。若しただ如来法王ましませども、大菩薩の法臣なからしめば、道を翼讃《よくさん》するに於て、満つといわんに足らんや。

と、仏道について仏と菩薩との根源的かかわりが詳解され、仏が如来となっているところによるものか、「文明本」には「如来」となり、ここにおいては阿弥陀如来を指すと推知されるのです。

9　一切菩薩ののたまはく
われら因地《いんじ》にありしとき

よう。

前の一首に続く「信文類」に引用された『大智度論』の文を掲げて、この一首を誦《よ》みあげてみ

無量劫《むりょうこう》をへめぐりて
　万善諸行を修せしかど

第三に諸の菩薩有りて復《また》この言を作《な》さく、我因地にして善知識に遇《あ》いて波《は》(=般《はん》)若《にゃ》を誹謗《ひほう》して悪道に堕《だ》しき。无量劫を逕《へ》て餘行を修すと雖も、未だ出ること能わず。後に一時《いっ》に善知識のほとりに依りしに、我を教えて念仏三昧《さんまい》を行ぜしむ。その時に即ち能く併《しか》しながら諸の障《さわ》りを遣《や》り方《まさ》に解脱《げだつ》を得しむ。この大益《やく》有るが故に願じて仏を離れずと。

とあるところ、この後半は次の第十首に詠われます。この最初の「善知識に遇いて」は、高田本などでは「悪知識」とされますが、知識が悪とされることは、善知識への崇敬の念を育てられているものにとっては、悪の知識があるということにはなじめないが、事実としてその教えに従って悪道に落ちたのであるから、逆に悪知識であったことが知られ、善知識にめぐりあうことが至難であることに、思いをいたすのである。

ありとあらゆる菩薩がたが、次のように述べられます。われらがまだ因の地位として修行中であったとき、さとりをえようとして、はかり知れない長歳月かけて、諸方を巡り歩いて知識を尋ね、教えられるままに多くの善根を植え、もろもろの行に励んだけれども。

このように「修せしかど」と完結しない和讃は、多くはありません。しかも暗《あん》に悲しくも出離

の時がなかったのですと、ほのめかしてあるのです。

10
恩愛《おんない》はなはだたちがたく
生死はなはだつきがたし
念仏三昧《さんまい》行じてぞ
罪障を滅し度脱せし

後の二行は、前の第九首のところで引用文を示したとおり、善知識の教えのまま生死の苦海をわたることができるのです。念仏三昧の三昧とは、サマーディ、一境性《いっきょうしょう》、禅定《ぜんじょう》、執持《しゅうじ》等の意味をもち、念仏によって心が散乱しない状況をいいます。『智度論』には、

念仏三昧は、能く種々の煩悩、種々の罪を除く。

と説きます。大寂定《じゃくじょう》三昧とか海印《かいいん》三昧とか仏立《ぶつりゅう》三昧とか般舟《はんじゅ》三昧とか申します。

ところがはじめの二行は、どこから来たものでしょうか。この念仏三昧の近くに、「一切衆生世法《せほう》に縛著《けじゃく》し能く解《と》く者無し」とか、「仏は諸法において著《じゃく》せず愛せず」とか述べるのですが、ずばりの文言は見つかりません。「竜樹和讃」にあっては竜樹に専心されたことは当然であるが、その間にも「恩愛不能断《ふのうだん》」も去来《こらい》していたであろうし、善導《ぜんどう》言の「生死甚だ厭《いと》い難く、仏法復欣《またねが》い難し」が、雲の流れるように動いていたと思います。「善導和讃」には、

弥陀の心光摂護《しょうご》して

ながく生死をへだてける

と詠われますように、「生死出づべき道」は信心によってたしかなものになるのですが、恩愛の情は「不断煩悩」として、救われぬ凡夫の身にあざなわれていくようです。だから『正法眼蔵《しょうぼうげんぞう》』「行持《ぎょうじ》」の、

自己の身命をかへりみることなかれ、禽獣《きんじゅう》よりもおろかなる恩愛、惜しんで捨てざることなかれ、たとひ愛惜すとも、長年のともなるべからず、あくたの如くなる家内、たのみてとどまることなかれ、たといとどまるともついの幽棲《ゆうせい》にあらず。

とする恩愛観との方向のちがいを、よくかみしめねばなりません。恩愛を切るのでなく、恩愛によって救いが深められてゆくのです。

天親菩薩　付釈文　十首

1

釈迦の教法《ぼう》おほけれど
天親《てんじん》菩薩はねむごろに（ん）
煩悩成就《ぼんのうじょうじゅ》のわれらには
弥陀の弘誓《ぐぜい》をすすめしむ

釈尊のお説きになった教法は多面にわたるのですが、天親菩薩は、煩悩の捨てられないわれらをあわれんで、如来の大悲心をどうにかして伝えようと、ご親切にこころをこめて、弥陀の本願にめざめるようにおすすめになったのです。

天親菩薩は、五世紀頃、インド西北部ガンダーラ、フルシャフラの生まれです。竜樹に次いで浄土真宗の第二祖と仰がれる大乗仏教の論師です。

『入出《にゅうしゅつ》二門偈頌《げじゅ》』を見ましょう。

『無量寿経論』一巻　元魏天竺三蔵菩提留支の訳なり
婆薮盤豆《ばすばんず》菩薩の造なり、婆薮盤豆は、これ梵語なり。
旧《く》訳には天親《てんじん》、これはこれ訛《あやま》れるなり、新訳には世親《せしん》なり、これを正とす。

『優婆提舎願生偈《うばだいしゃがんしょうげ》』、宗師これを『浄土論』と名づく。
この論をまた『往生論』といえり。入出二門これより出《い》でたり。
世親菩薩、大乗修多羅《しゅたら》真実功徳に依って、一心に尽十方不可思議光如来に帰命したまえり。

とあるによりますと、天親という訳をあやまりとし、世親を正訳とされたようですが、浄土真宗としては天親が通用されております。

世親は、最初『阿毘達磨《あびだつま》大毘婆沙《びばしゃ》論』を学び、『阿毘達磨倶舎《くしゃ》論』を著して、仏教を知ろうとするものにとって後々まで大きな指導書となるものではあるが、これは大乗をそしるものとして実兄無著《むじゃく》菩薩の戒告を受け、大乗教に転じ、瑜伽唯識《ゆがゆいしき》についての多くの論書を著したのです。これは竜樹・提婆《だいば》の中観派が、一切法は因縁によりて生じているのだから、因縁が解けるならば真実存在は空であり、その空にもまた執着《しゅうじゃく》すべきでなく、有を破り空を超えた中《ちゅう》に至らねばならぬ、との主張に対し、無著・世親の唯識派は、現に眼前にある迷妄の存在は、認識の根本識たる第八阿頼耶識《あらやしき》よりの変現であり、しかも第七末那識《まなしき》がこれを我の本体として覆《おお》うているから、その迷執の深さを知るべしというのです。ただ阿頼耶識のみが有って一切の境は無いものであり、この阿頼耶識を転じて大円鏡智を得なければならぬ、との教法に大きくうなずきつつ、このただ中にあってというのか、退一歩してというのか、深化転換されてというのか、『無量寿経論』が誕生して、浄土の救済に大きな光を放ったことは、恩徳まことに謝し難いものがあります。しかもここに至る必然性をたどって、例せば法蔵菩薩と阿頼耶識との救済根源性の結びつきを高調する教学者もあるように、諸学者が見のがすべからざる意味を発見しようとして、腐心するところなのです。唯識の教説を堂々と樹立しつつ、しかもそれを捨てることなく、尽十方無碍光如来に帰命し安楽国を願生したということは、この教えに随順するものにとって、どれほど思索の視野を拡大されるか、はかり知れないものがあるのです。

「釈迦の教法」という表現には、心惹かれるものを感じます。教法を敬い、教法に導かれる社会を想定したいのです。教法を知らない社会は、寒々とした欠乏集団です。教法が生きていなければ、人の交わり合う社会とはいえないのです。「皇太子聖徳奉讃」の中に、

仏法繁昌《はんじょう》せしめつつ
いまは念仏さかりなり
（左訓—この世は末法の世なり）

と詠われましたように、祖聖の時代もまさしく念仏の生きている教法社会であったのです。関東の原始教団の門弟の往来を見ても、末法の僧伽として念仏の声が燃えさかり、信心の磨き合いがどれほどはげしかったか、よく察知できます。現代は「生死出づべき道」を求めることを片隅におしやり、おさえてもほとばしる念仏の声を圧砕《あっさい》するような、荒廃した風土となっております。大悲心の位置づけを忘却した教育基本原理のゆがみが、冷酷な反教法社会となって現出しているのです。悲しいことです。だがそれゆえにこそ、祖聖を聞法者の首座に据え、「いまは念仏さかりなり」の声ににぎやかに和して、教法社会における同一念仏無別道の同法者としての睦みをた

しかめ合わねばなりません。

2　安養浄土《あんにょう》の荘厳《しょうごん》は
　唯仏与仏《ゆいぶつよぶつ》の知見なり
　究竟《くきょう》せること虚空《こく》にして
　広大にして辺際《へんざい》なし

無量寿仏国土の荘厳は、浄光も珍宝も宝華も法音もことごとくが、三界流転の視野より勝れ超えていて、仏と仏とのほほえみ合いのあるところで、仏の心が分からなければ、浄土荘厳のかまえ方は分かるものではないのです。この浄土をきわめつくそうとしても、大空のように広大であって、ここで終りということがないのです。

この第二首以下第六首までは、第一首で触れましたところの、『無量寿経優婆提舎願生偈』略して『浄土論』より選ばれた文言によって讃詠されたものです。ここは、かの世界の相を観ずるに、三界の道に勝過《が》せり。究竟して虚空のごとく、広大にして辺際なし。

との文に依ります。『文類聚鈔《もんるいじゅしょう》』にも、

慈悲深遠《じんのん》にして虚空のごとし、智慧円満して巨海《こかい》のごとし。清浄微妙無辺の刹《せつ》にして、広大の荘厳等しく具足せり。

と、「虚空」や「広大の荘厳」が讃詠されます。

「唯仏与仏」は『妙法蓮華経』「方便品」の「唯仏与仏乃能窮尽《ないのうぐじん》」に、依るともなくひとりでに依られたものでしょう。それはかの「大経意和讃」第十首の女人成仏のところに、同経「提婆《だいば》達多品《だったほん》」の「変成男子《へんじょうなんし》」の文言が、第三十五の願文にはないのに現れ出ますのと、同調性を感じます。いろいろの不思議に想念を馳せつつ、『大経』の「去《こ》・来《らい》・現《げん》の仏、仏仏相念ず」を口誦して、法界に遊ぶことができますのは、恵施された知見によるものでしょうか。

3

本願力にあひぬれば
むなしくすぐるひとぞなき
功徳《くどく》の宝海みちみちて
煩悩の濁水《じょくしい》へだてなし

如来の本願力をよくみて、これに遇いたてまつる眼を与えられ、信ずることのできた人には、生死にとどまり人生を空過《くうか》することがなくなります。本願念仏の功徳は、宝の海のように満ちあふれて、煩悩の濁った水も、満々たる宝海の中へ、へだてなくきらわず、融かされていきます。

ここは『浄土論』の、

仏の本願力を観ずるに、遇《お》うて空しく過ぐる者なし、能く速やかに功徳の大宝海を満足せしむ。

に当りますが、「能令速満足《のうりょうそくまんぞく》」は次の第四首にまわります。

『尊号真像銘文』には、

観仏本願力遇无空過者《ぐうむくうかしゃ》といふは、如来の本願力をみそなわすに願力を信ずるひとはむなしくここにとどまらずとなり。能令速満足功徳大宝海といふは、能はよしといふ、令はせしむといふ、速はすみやかにとしといふ、よく本願力を信楽《しんぎょう》する人はすみやかにとく功徳の大宝海を信ずる人のそのみに満足せしむるなり。如来の功徳のきわなくひろくおほきにへだてなきことを、大海のみづのへだてなくみちみてるがごとしとたとへたてまつるなり。

と述べられますが、八十六歳の高齢を考えますならば、信心表現のきわまりでしょうから、重く読みたいと思います。

本願がもし無いということならば、煩悩成就のわれらとしては酔生夢死《すいせいむし》に終ることもいたし方のないことですが、われらをたすけんがために本願力がこちらへ迫っているのですから、本願に遇わないことは、こちらの罪です。この身が空過するならば、本願のご苦労を徒労に帰せしめます。それこそはからざる大罪となります。『入出二門偈頌』に、

かの如来の本願力を観ずるに、凡愚《ぼんぐ》遇うて空しく過ぐる者なし。

と述べますように、遇うのは凡愚です。凡愚こそどうしても本願に遇うべく約束づけられていることを知ります。凡夫のたすかるのには如来の方から大きな力が要ります。

4

如来浄華《じょうけ》の聖衆《しょうじゅ》は
　正覚《しょうがく》のはなより化生して
　衆生の願楽《がんぎょう》ことごとく
　すみやかにとく満足す

第一行の左訓は「浄華というは阿弥陀の仏になりたまいし時の華なり。この華に生ずる衆生は、同一に念仏して別の道なしというなり」とありまして、解説の真意を読みとりかねております。西方浄土の阿弥陀仏のきよき蓮華座におられる聖者たちは、若不生者不取正覚の本願成就した正覚の華たる念仏から、忽然として生まれたのであるから、一たび化生するならば、衆生の願い望むところは、たちどころに満ち足ります。

この一首は「如来浄華衆《じょうけしゅ》、正覚華化生《けしょう》」と「衆生所願楽《しょがんぎょう》、一切能満足」と、更に「能令速満足」とによって讃詠されたものです。和讃の流れとして、しかとつかめない点もありますので、この周辺を尋ねてみましょう。

「証文類」のはじめに、

彼の安楽国土は、是れ阿弥陀如来正覚浄華の化生する所に非ざるはなし。同一に念仏して別の道無きが故に、遠く通ずるに夫れ四海の内皆兄弟と為すなり。

とありまして、左訓の同一念仏がうなずけます。「真仏土文類」には、

往生というは、大経に皆自然虚無《じねんこむ》の身無極《しんむごく》の体を受くとのたまう（ここは「讃阿弥陀仏偈和

讃」第二十一首に詠われる)。論には如来浄華衆、正覚華化生という
と述べられ、往生という内容は、「虚無の身無極の体を享受《きょうじゅ》する」ことであり、これが「化生」
と結び合わされていることは、深慮をめぐらさねばならぬ要所です。三有《さんぬ》生死流転の生まれ方で
はない「無生《むしょう》の生《しょう》」たることを、よくよく噛みしめねばなりません。ここに「往生」とはどうな
ることかについての法然上人の有名な「捨此往彼、蓮華化生」(『往生要集大綱』)を想起して、
真実と方便との交錯《こうさく》する光の中で思惟をこらします。
ここでは真宗教学者によって巧みに訳された、法照禅師《ほっしょうぜんじ》の讃歌、

この世にみ名を称うとき　彼の世に開く蓮の華
この世の命終るとき　彼の華来り迎うなり

を誦みあげて、誰にともなく同音したくなります。浄土の説法を聞く人びとの中で、一真宗人が
「死んだらどうなる」と尋ねられて、窮地に落ちたとき、一作家が涼しく「花になります」と答
えたと聞いております。
この花になるというところが、いかにも明瞭に『一念多念文意』に、

かならず安楽浄土へいたれば、弥陀如来とおなじく、かの正覚のはなに化生して、大般涅槃
のさとりをひらかしむるを、むねとせしむべしとなり。

と述べられて、「正覚のはなより化生す」ではなく、「正覚のはなに化生す」となっていることを、
よく知り分けたいと思います。

この「に化生」と「より化生」との隠密《おんみつ》を探って、論主天親菩薩の述べられる聖衆とは誰かを、法蔵菩薩を通して追究しようとする、卓越せる真宗教学者が、

「この聖衆こそは、現在の法蔵菩薩その人。この聖衆は一面より見れば、みな如来浄華より化生せる人たちであるけれども、他面より見れば、まさに浄土と主の如来とを創建する往生人、願生行者、実に浄土の聖衆こそは、論主天親の魂」

と述べられたことは、真底に迫ろうとする苦心の跡が示されるとともに、論主天親がどこにいられるかを求めるものにとって、懇切な依りどころと仰ぎます。迷妄の眼をもって生きるものにとっては、何をねがうべきかも分からない、その迷妄者を転じて真の願楽を満足する場を与えようというのですから、建立浄土については如来の苦心が尽くされるわけです。

5

天人不動の聖衆は
弘誓の智海より生ず
心業《しんごう》の功徳清浄にて
虚空《こく》のごとく差別なし

浄土に生まれて、堅固《けんご》にして動揺することのない心の境位を得ているひじりたちは、本願弘誓の海のように広く大きい智慧のはたらきによるものなのです。智慧は光として照らしますから、心のはたらきのさまざまなあらわれは、きよらかなものであって、大空にはからいがないように

差別分別がありません。

ここは『論』の、

地・水・火・風・虚空に同じて、分別なからん。天人不動の衆、清浄の智海より生ず。

を讃詠されたものです。虚空に分別心のないことを示して、迷妄我執の分別にとらわれていることをあわれむのです。分別のうえの善も悪もうたかたであることを知らしめ、無分別の境位に導いて、この無分別より自在に分別の世界に遊ぶのが仏法です。分別より無分別へ、一転して無分別の分別となる方式です。この分別について『論註』にはうなって目をしばたたく叙述があるのです。大地が樹木等の一切をその肩に荷うのに、軽重にとらわれるであろうかというのです。如来の慈眼をもって衆生を視るのに、好悪《こうお》の分別がないことに身のふるいがなくてすむでありましょうか。

「天人」については、浄土に対して人間界・天上界にもと在った聖衆と解されるのであるが、地上の用語を使って浄土の上級の聖衆を形容したと見る方が自然でないかと考えます。

6

天親論主《ろんじゅ》は一心に
无导光《むげこう》に帰命《きみょう》して
本願力に乗《じょう》ず《(す)》れば
報土にいたるとのべたまふ

『浄土論』の著述主である天親菩薩は、二つの心をしりぞけて、なにものもまじえない一つの心になりきって、尽十方无㝵光如来に帰命しふかくたのんで、

本願力のはたらきにのりこみまかせるならば、真実報土にまちがいなく生まれる。

と、お述べになっております。

これは『論』の最初の、

世尊、我一心に、尽十方无㝵光如来に帰命して、安楽国に生まれんと願ず。

とあるところに当ります。「世尊よ」と呼びかけるのは、自信のある信心の告白です。「我一心」とは、わたくしは一心に、でありましょうけれども、それ以上に重い力をもっています。本願に遇うことによって、我というものが「一心」に全領されるのです。一心が我そのものとなりますと、我執の我でなくなるのです。まだ本願に遇うていない我は、妄想分別でつくりあげたものですから、他からの分別にゆさぶられますと、実体のあるかに見えた我は崩れていきます。

「讃阿弥陀仏偈和讃」には、阿弥陀仏の別名の一つ一つに「帰命せよ」が波の打ち返すように重なるのですが、その一つの左訓に「よる、召しにしたがう」と見えます。ふかくたのみよりかかれよ、との本願招喚の勅命が聞こえます。

7　尽十方《じんじっぽう》の无㝵光仏
　一心に帰命するをこそ

天親論主のみことには
願作仏心《がんさぶっしん》とのべたまへ
十方の衆生を尽くして漏らさず、そのいかなる煩悩にもさまたげられず、光をもって照らし摂め護る阿弥陀仏に向かって、心をもっぱらにしてお召しにしたがうことが、弥陀の救いなのですが、論主天親菩薩は、このことこそ仏になりたいとねがう願作仏心というものであると、お述べになりました。

第六首にも「一心帰命」が出ますが、「一念帰命」ともいいまして、真宗とは何かと問われますならば、一心帰命と答えて全体を尽くすのであります。「正信偈」も「帰命」と「南无」をおさえて、そこからはじまる讃歌ですし、

群生《ぐんじょう》を度せんが為に一心を彰《あらわ》したまふ。

と「一心」が掲げられます。

『唯信鈔文意』には、

この真実信心を、世親菩薩は願作仏心とのたまへり。この信楽《しんぎょう》は仏にならむとねがふとまふすこころなり。

とありまして、次の第八首のところで『論註』を掲げますが、この「願作仏心」を天親に帰せられるところ、『浄土論』と『註論』(祖聖は『論註』をこのように論の位におしあげてあがめられる)との一体感のあらわれです。また正訳と受けとめられた「世親」とお書きになったことも楽

しく、『入出二門偈頌』の、

世親菩薩依大乗、修多羅真実功徳、一心帰命尽十方、不可思議光如来。

も思い合わせられます。

8　願作仏の心はこれ

度衆生《どしゅじょう》のこころなり

度衆生の心はこれ

利他真実の信心なり

仏になりたいとねがう心は、すでに仏の方から仏になりたいとねがえとのはたらきがあって、それに動かされているのですから、わが身ひとり仏になればよい、というところにとどまるものでなく、たすかるはたらきがたすけるはたらきとなって、一切衆生をわたらせたまえとねがう心となるのです。この衆生をたすける心は、利他、他を利する、如来なればこそ他なる衆生に利益を与えようとする、その如来の真実心が衆生を信じ敬い愛し、それが衆生に届いて衆生それ自身となったのが、わが信心となるのです。信心はわたくしの信心でありますけれども、如来廻向の信心でありまして、わたくしが破れて広大なる世界に摂まり、願作仏心・度衆生心となって、伴同法《ともどうぼう》にねんごろに呼びかけていきます。

「正像末法和讃」の第十九首、

　浄土の大菩提心は
　願作仏心をすすめしむ
　すなはち願作仏心を
　度衆生心となづけたり

をともに誦《よ》みあげつつ、直接の依拠たる『論註』下に聞きましょう。

　此の無上菩提心といふは、即ち是れ願作仏心なり。願作仏心は即ち是れ度衆生心なり。度衆生心は即ち是れ衆生を摂取して、有仏の国土に生ぜしむる心なり。是の故に彼の安楽浄土に生ぜんと願ずる者は、要《かなら》ず無上菩提心を発《おこ》すなり。

と、「願作仏心」はここに表れます。

「願作仏心」も「度衆生心」もともに「無上菩提心」におさまるところが、重要な知見です。この背後には、阿闍世王《あじゃせおう》が釈尊を見てのすぐなる発心《ほっしん》（＝願作仏心）が、同時にマガダ国の人民の発心（＝度衆生心）を呼び起こした事実を、描いていたものでありましょう。願作仏心はそのまま度衆生心であるとするのは、一般の上求《じょうぐ》菩提下化《げけ》衆生という上下になっているものを脱却しているのです。自利と利他との二つがあるのではなく、菩提心の一つがあると見るのです。

　およそ人が生きるのは「生死出づべき道」を求めるためです。これをすすめるのが仏です。求道心をおこさずして、仏の心にかなう道はあり得ません。隣に求道の人を見るならば、ちらりとうらやましいとまでは思うのですが、自分にはこの菩提心をおこす力がありません。菩提心発起の不可能なのが凡夫です。自分でおこすべき菩提心になり代って、如来の方から与えられたものが願作仏心です。仏にならしめたいという如来のねがいです。如来は凡夫を捨てることができないのです。

9

信心すなわち（は）一心なり
一心すなわち（は）金剛心《こんごうしん》
金剛心は菩提心
この心すなわち（は）他力なり

第八首の「利他真実の信心」を受けて、この信心は、天親論主が凡夫に分かる形を示して、二心なき一心なのだ、というのです。信ずる心といっても、きめてがつかみにくいので、これを一つの心と言い当てたのは、かたじけない表現だというのです。超絶したものを受けとめるのは、これしかないわけです。

信心はどういうものであるかといえば、一心としてとらえられるものであり、善導大師のいう金剛心なのです。これは自力の我《が》が頑固に見えてはいるが無残にこわれていくのとはちがって、一心は柔軟心《にゅうなんしん》ですから、人間の事情によって左右されるものではないということです。この金剛心こそ、われをして仏にならしめる菩提心でありまして、この心はそのまま他力です。これによってみれば、別に菩提心をおこさずとも、おこす力がなくとも、廻向の信心が菩提心のはたらきをもっているのです。しかも他力を信ずるとか、他力によって信心を得るとか、他力と信心とが別立ではなく、信心がすなわち他力そのものです。他力と信心と二つでないところに、一心の重さを見ることができます。

この一首のようなずばりと裁断された菩薩用語を誦みあげていますと、能動そのものの我一心、われ信ず、の威風になびくとともに、真宗人の語り口として、お話しさせていただく、称えさせていただく、信じさせていただく、との連発を耳にすることが多いのですが、変な風景に迷いこんだここちがします。一生を賭けて「この信心こそ菩提心なのだ」と道破した祖聖のきびしさをゆるがせにすべきでないと思います。

『往生要集』中本には、

『涅槃経』にいう、阿耨《あのく》菩提は信心を因と為す。是の菩提の因復《また》無量なりと雖も、若し信心を説かば則ちすでに摂し尽くすと。明かに知る、道を修するに信を以て首と為す。

とありまして、これが「金剛心は菩提心」に大きく響いております。アヌッタラサムヤックサムボディを音訳して阿耨多羅三藐三菩提《あのくたらさんみゃくさんぼだい》の字を当てます。無上正真道、無上菩提、世界に満ちているこの上もないさとりの意です。『阿弥陀経』にも多く出ます。

さてこの菩提を得るのに、菩提心をおこし得ない人はおこさなくても宜しいと、源空法師が述べられたことについて、聖道門流の人には了解できなくて、大きな嵐になったのですが、祖聖は法師の弁護に立つなどとは直接には語られぬまま、菩提心をおこすことのできないものに賜わった信心は、菩提心のはたらきをそなえているものと決定されたのです。この「信心すなわち菩提心」は、『要集』説から更に一歩踏み出されたものとなっております。

菩提心は仏になりたいと願う心ですから一般に求道心と言います。真宗聴聞の席に坐る人は求道心の有無にかかわらず、念仏をよろこび信心獲得に勇む人です。無意識のうちにも求道心の動く人と動かない人とは、聞き方が別れていきます。ひまになって人間心の欠け目を補うために聞く人は、自己目的のために教えを利用しようとしますから、つくりあげてきた自己が破れることを好みませんから、生き甲斐などという変な趣味の一種になり果てて、求道心が撃発されませんから、結局は真宗に不平が残ります。信心は菩提心だというのは、まだ信心以前でありましても、信心のにおいを嗅ぐと求道心が舞いあがるはげしさの意味です。真宗聴聞の軌道に乗れば、顔がしおたれないということです。「すでにしてこの道あり」といわれますように、道の方から人を求めていますから、その声を聞くのが求道です。

少しく「正信偈」によって照らしましても、「能発一念喜愛心」であり、「唯能常称如来号」であり、「必以信心為能入」でありまして、「能」が信心者に与えられるのです。能くなし得る力です。煩悩成就の凡夫としては、どうしようもなく不可能な能力が、如来によるがゆえに与えられて、信心の凡夫となったのですから、この能力がわたくし自身です。借りものではないのですから、野性のままいけるというものです。「熊皮《くまがわ》の御影《みえい》」をつくづく見入って、このような方向を語った教学者もあります。どうころんでも「いつわらず、へつらわず」を鏡としたいものです。

10
願土にいたればすみやかに
無上涅槃《むじょうねはん》を証《しょう》してぞ
すなわち大悲をおこすなり
これを回向《(は)えこう》となづけたり

阿弥陀如来の本誓悲願にむくうてあらわれた真実報土に生まれますならば、時を移さずすぐさま、煩悩の火の吹き消された、この上もない大涅槃をさとることが出来まして、その涅槃界にとどまり住するのではなくして、如来の大悲心に動かされて、煩悩界にたち還り救済の活動を開始することになります。このように往くも還るもともに、そのはたらきを如来から与えられるのです。

天親菩薩は、阿弥陀仏の浄土に生まれる五つの行を説きます。それは『浄土論』にいう五念門すなわち礼拝門《らいはいもん》・讃嘆門《さんだんもん》・作願門《さがんもん》・観察門《かんざつもん》・廻向門です。しかも『論』には、

いかんが廻向する、一切苦悩の衆生を捨てずして、心に常に作願す。廻向を首《しゅ》と為して、大悲心を成就することを得たまへるが故に。

と述べまして、廻向が主役となります。これを『論註』には、

廻向に二種の相あり、一つは往相《おうそう》、二つは還相《げんそう》なり。

として、往くも還るもともに本願力によるから廻向なのだと、受けとめられたのです。この往還ともに廻向だとするのが、浄土真宗の根源力となるのであります。

『入出二門偈頌』には、
いかんが回向したまう、心に作願したまいき。苦悩の一切衆生を捨てたまわざれば、回向を首として、大悲心を成就することを得たまえるがゆえに、功徳を施したまう
と回向を称揚し、更に重ねて「正像末法和讃」第三十七首には、
如来の作願をたづぬれば
苦悩の衆生をすてずして
回向を首としたまひて
大悲心おば成就せり
と、如来が南无阿弥陀仏となって、苦悩の衆生に与えたもうおもむきを、これが回向なのだと力説されるところです。
「无上涅槃を証してぞ」のところは、「善導和讃」第二十一首にも、
自然はすなはち報土なり
証大涅槃うたがはず
と詠われますように、凡夫は低いものであるから、さとりも程度の低いものだというのでなく、浄土あるがゆえに、そこにおいて最高の大涅槃を証するのだ、というところを重く聞かねばなりません。『論註』の一つの根拠を掲げましょう。
これいかんが不思議なるや。凡夫人の煩悩成就せる有りて、亦彼の浄土に生ずることを得れ

ば、三界の繋業畢竟《けごうひっきょう》じて牽かず、則ち是れ煩悩を断ぜずして涅槃分《ねはんぶん》を得。いづくんぞ思議すべきや。

と、凡夫が涅槃の境位を得ることは、仏智不思議と申すより外ないというのです。

「天親和讃」を通じてうかがえますように、『論註』は『浄土論』から与えられた耳をもって、『論』の中に鳴り響いている音声をよく聴き取り、この二者が一体となっているところに融けこんで自らを没し、そうとはいわずして創見を放射されたのが、われらの祖聖であったようです。

「天親和讃」を総るに当り、静かに『浄土論』巻頭の、

世尊よ、我れ一心に尽十方无导光如来に帰命し奉り、安楽国に生ぜんと願う。

との信心表白を読みあげます。生ける釈尊に対面して申しあげるのですから、釈尊の自内証にかなうものでなければなりません。よってそこに生まれたいという安楽国は、あってほしいという分別でつくりあげたものでなく、「真実智慧無為法身」と述べられるものが内容です。人間の智慧で為作したものでなく、光の如来の開いた安楽国であることをよく知りたいと思います。そうでありつつ「安楽国」の名は大きく万人を包摂して、はるかに光を投げかけてきます。この事実をここに具現しているものが「一心」です。この純粋極まりない一心が、曇鸞和尚を動かし、更に祖聖へと開華していきます。

曇鸞和尚　付釈文　三十四首

1

斉朝《せいちょう》（本師）の曇鸞和尚《どんらんかしょう》は
菩提流支《ぼだいるし》のおしえにて（へ）
仙経《せんぎょう》ながくやきすてて
浄土にふかく帰せしめり

曇鸞和尚は四七六年～五四二年、六十七歳の御往生ですが、斉朝といいますと、斉朝の終りが五〇二年ですから、二十六歳までの出来事ということになります。「文明本」には「本師」といって時期を特定されないことと、較べ合わせたいと思います。長生きの秘訣を求めて江南の道士の陶弘景《とうこうけい》を訪ね、学び終え仙経を抱いて北帰したが、洛陽で菩提流支三蔵に逢い、浄土の経論を授けられたので、いたたまれずに仙経われを迷わせりと焼きすてまして、浄土願生者となったというのです。

斉朝といいますのは、南の六朝が呉・東晋・宋・斉・梁・陳と続く、その斉ですが、和讃には梁の天子も登場します。北朝の東魏の孝静帝《こうせいてい》と推察される「世俗の君子」幸臨の問答によって、南北の広域にその名が知られたことが分かります。祖聖八十六歳筆の『尊号真像銘文』によって和尚への敬慕をうかがいましょう。

斉朝曇鸞和尚真像銘文

釈曇鸞法師は、幷州汶県《へいしゅうぼちけん》の人なり。魏の末高斉《こうせい》の初、猶在《なおいま》しき。神智高遠《じんちこうえん》にして、三国に知《ち》聞《もん》す。洞《あき》らかに衆経を暁《さと》ること、独人外《ひとりじんがい》に出でたり。梁国の天子蕭王《そうおう》、恒に北に向かって鸞菩薩と礼す。『往生論』を註解して両巻に裁成す。事　釈《しゃくの》迦才《かさい》の三巻の『浄土論』に出でたり。（原漢文）

これは八十四歳にて『論註』の奥に記されたものに加点されているのとは、訓点が少しく違っております。

「正信偈」にも同様に、

三蔵流支授浄教、焚焼仙経帰楽邦。

とありますように、浄教を授けたことが先です。それでは浄教とは何であったのでしょうか。僧伝は『観経』を授けたといいますが、『観経』は和尚の出生よりも半世紀も前に翻訳されて、広く流行しておりますので、よく存じておられたと思います。菩提流支は五〇八年に洛陽に入っておりますから、この出会いは間違いないものとみまして、自分の翻訳した『無量寿経優婆提舎願《うばだいしゃがん》生偈《しょうげ》』を手許に持っていて、和尚の人物に心打たれて、これを届けたと見るのが自然ではないでしょうか。これでこそ『浄土論』によって帰すべきところを見い出し、本願にいのちを捧げた『論註』主となっての、深い結びつきが成就するのではないでしょうか。

「仙経ながくやきすてて」については、祖聖が遠いおもんぱかりをもって、和尚の迷いを拝まれた、更にいえばわたくしのために迷いを見せて下さったものとして拝んでいられる風景です。だから「大信心は長生不死の神方」とは、和尚に対する報恩の言葉です。僧伝では『大集経《だいしゅうきょう》』を註釈せんとして、命の危うきを感じたといいますが、和尚ほどの仏法者が人間の寿命長遠をねがったというよりは、空観《くうかん》を学んで、つかめない空にふりまわされ、ついに空病にかかってしばらく隠居せねばならなくなった、とみるのが事実に近いのではないでしょうか。こうみるとき次の和讃にもよく連なります。

2

四論《しろん》の講説《こうぜつ》さしおきて
本願他力をときたまふ（ひ）
具縛《ぐばく》の凡衆《ぼんしゅ》をみちびきて
涅槃のかどにぞいらしめし

龍樹菩薩の著された『中論』・『十二門論』・『大智度論』、並びに提婆《だいば》菩薩の『百論』、この四論を今まで信奉し講説していられたのですが、菩提流支の指示によってこれらをさしおき、『浄土論』の教えのまま本願を信じ、これは如来廻向の他力である旨をお説きになり、煩悩具足のしばられて身動きのできない凡夫のために救いの手をさしのべて、涅槃から絶縁されている凡夫が涅槃の門に入る道を開かれたのであります。

この「さしおきて・ときたまふ」との選び捨てる関係は、前の「やきすてて・帰せしめり」にもみられます通り、信仰必然の難関でありますので、そのもとを尋ねてみます。

『選択本願念仏集《せんじゃくほんがんねんぶつしゅう》』開巻第一には、

道綽禅師、聖道浄土の二門を立てて、しかも聖道を捨ててまさしく浄土に帰するの文、

とあって、「安楽集の上にいわく」とはじまり、ここにこの第二首の文言が述べられます。

たとい先より聖道門を学する人と雖も、若し浄土門にその志有る者は、聖道を棄てて浄土に帰すべし。例するに曇鸞法師は四論の講説を捨てて一向に浄土に帰し、道綽禅師は涅槃の広業を閣《さしお》いて偏《ひと》えに西方の行を弘めしが如し。

この筆法は、「結勧三選の文」に至って、

閣《さしお》きて、選んで入れ。抛《なげす》てて、帰すべし。傍《かたわら》にして、専《もっぱ》らにすべし。

といよいよ高鳴り、本願によるが故に称仏名が正定業であることが断定されます。この『選択集』を、

希有《けう》最勝の華文《かもん》、無上甚深の宝典

と渇仰《かつごう》した祖聖が、師に遇うて廻心《えしん》した二十九歳の決定打を後に感動をこめて、

然るに愚禿釈の鸞、建仁辛酉《かのとのとり》の暦《れき》、雑行《ぞうぎょう》を棄てて本願に帰す。

と記述した表現法に深くうなずきます。廻心は一念という時間のきわまりですから、前後はないのですが、本願に帰したという決定的瞬間によって、今までそれに依りかかっていた雑行が満足

して引きさがっていったということです。よって内実は「本願に帰したるによって雑行ここにすたる」という方が事の真相に適っていると思います。
この「本願他力」につきましては、祖聖が、
　他力というは如来の本願力なり。
と受けとめられましたように、人間にとって他力となり得るものは本願の外にはないということです。この言葉がだんだんと身に沁みるまでは、わたくしは宗教性において非才であるためか、他力の用語に長らく親しみ近づくことができず、もっと心を打つ造語はないものかと不満でもありました。和尚はもと、本願力に乗ずることを、俗の人の耳に入り易い形で「人外の他なる力」をたとえたものですから、この他力は俗用にかえろうかえろうとするのです。和尚の真意を汲んで、仏法の高貴性に据えたのが祖聖であったのです。人間がたすかるのに、人間のもつ一切の力では及ばないと、厳然と言いはなつのが他力です。他力は、自力の破れた感動であったのです。

3
世俗の君子幸臨《こうりん》し
勅して浄土のゆへをとふ
十方仏国浄土なり
なにによりてか西にある

ここから三首連続して『安楽集』下に依ります。世俗の君子が曇鸞法師のお住まいのところへみゆきして、「あなたは毎日浄土の行を修していられますが、浄土についてお話し下さい」と質問しました。「わたくしはかねがね浄土とはわが心の影であり響である、よってわが心さえ浄くあるならば、十方世界悉く仏国浄土であると聞いています。あなたはただ西方にのみ浄土がある、と主張されるのですが、それは偏見というものではないでしょうか」

この君子は、北魏が東西に割れたその東魏の孝静帝であったようですが、世俗と言い切られたところが重いと思います。軽侮《けいぶ》ではなく、仏法者の尊貴に対するかけねのない言い当てです。これに較べて自らの遭遇した「主上臣下、法に背き義に違し、忿を成し怨を結ぶ」の現状を悲痛しつつ、羨望の念をもって君子の幸臨を慶賀していられるのであります。

浄土については『維摩《ゆいま》経』「仏国品」に、

其の心の浄きに随って則ち仏土浄し。浄土を得んと欲せば当に其の心を浄くすべし。

とあって、『論註』上にも引用されます。僧肇《そうじょう》が、

浄土は蓋《けだ》し是れ心の影響《えいきょう》のみ。夫れ響の順なることを欲せば必ず其の声を和すべし。影の端《ただ》しきことを欲せば必ず其の形を正すべし。此れ報応の定まる数なり。

と註解をほどこしております。

4 鸞師こたえてのたまはく（へ）

わがみ(身)は智慧あさくして
いまだ地位《じい》にいらざれば
念力ひとしくおよばれず

第三行には「不退の位に至らずとなり」、第四行には「余の浄土にはかなわずとなり」と左訓されます。ここに「鸞師」と親しみをこめて呼ばれますので、これからはこれにならって「鸞師」と掲げることにします。

鸞師は君子の質問にこたえて言われました。「わが身はもとより凡夫、智慧浅短でありまして、十地の初歓喜地《しょかんぎじ》たる不退の位にものぼっていませんので、余他の浄土のことまでは念力がとても及びません。自己の分限をわきまえたいと思います」。

鸞師は、わが身は「業貧寒にして薄きもの」と述べ、道綽《どうしゃく》は「浮浅暗鈍《あんどん》」とへりくだり、善導は「我等愚痴身」と悲しみ、源信は「予が如き頑魯の者」と恥じ入ります。これらの高僧がそれぞれ独自の立場から、発菩提心の立つべき原点はどこにあるのかと、たしかな足場を押えておられます。われらは人間にも智慧ありと惑乱せられるから、仏智不思議を見失っていきます。

5　一切道俗もろともに
帰すべきところぞさらになき
安楽歓《かん》(勧)帰《き》のこころざし

鸞師ひとりさだめたり

初めの二行について「出家者も在家者も皆が皆、帰依処を失ってしまったこの時代」と読んで、問答は第四首で終って、新展開したのだと解してきましたが、教えられて新しい解釈にうなずきます。

第四首の問答に続いて鸞師は「十方仏国にまでは念力は及びませんが、出家者も在家者も皆手をたずさえて、阿弥陀仏の西方浄土に帰依すべきで、ほかに帰依すべきところは一つもありません」とお答えになって、安楽浄土を願うべきだとの信心の確立を、ただひとり決定されたのであります。

「鸞師ひとりさだめたり」の「法師独決」のとりあげは、釈尊の「無師独悟」「唯我独尊」にはじまり、「善導独明仏正意」に及ぶまで、今ここにある唯一人の限りなき尊重です。このひとりによって仏法が光るというものです。「独坐大雄峰」がそびえます。「本師龍樹」となり、「本師曇鸞」となり、「本師源空」となって、七人の羅列でないことと、軌を一にしております。その一者を離れて自己の救済はあり得ず、その一者の独存が自己を独立者たらしめます。孤立者ではなく独立者であればこそ、伴同法《ともどうぼう》にもねんごろに交わり、同一に念仏して本願一実の大道を歩んでいくことができます。

6　魏の主《しゅ》勅して幷州《へいしゅう》の

大巌寺《たいがんじ》にこそおはしけれ《(る)》
やうやくおわ《(は)》りにのぞみては
汾州《ふんしゅう》にうつりたまひにき

さきの第三首の「世俗の君子」が、この「魏の主」なのでしょう。あれから交際も深く、敬仰の念も篤くなったのか、みことのりを下され、今の山西省太原にあたる并州に大巌《だいがん》寺（大寺という説もある）をつくらせられまして、そこにお住まいになったのです。だんだんと終りが近づきました頃には、汾州の石壁玄忠寺《せきへきげんちゅうじ》（玄中寺ともいう）に移られました。「念仏の繁昌したりける所なり」と左訓がほどこされます。「皇太子聖徳奉讃」の第五十首に、

仏法繁昌せしめつつ
いまは念仏さかりなり

と見ますように、「念仏の繁昌」をどれほどのよろこびをもって思いめぐらしていられたか、その一端をうかがうことができます。

7

魏の天子はたふとみて
神巒《しんらん》《(鸞)》とこそまふしけれ《(号せしか)》
おはせしところのそのなおば《(名を)》
鸞公巌《らんこうがん》とぞなづけたる

「魏の天子」はここでは「文帝」と見えます。鸞師を尊崇して「神鸞」とたたえました。左訓には「ほめまいらするこころなり。すべてめでとうましますということろなり」と、神々しい鸞師への敬意が見えるようです。玄忠寺からよくお出かけになったのは、汾州介《かい》山の北の巌窟でありましたから、鸞公巌という名をつけられました。この「鸞」には、鳳凰《ほうおう》とか、神霊の精の意味もこめられているようです。

祖聖は定めし吉水在室中この「しんらん」の呼称に接せられ、何度も発音しているうちに親しさがまさり、流罪に際し決然と「親鸞」の名告りを宣言して、自己の立つところを明らかにせられたのでしょう。

8

浄業《じょうごう》さかりにすすめつつ
　玄忠寺にこそおはしけれ(ぞ)(る)
魏の興和四年に
　遙山寺《ようさんじ》にこそうつりしか

鸞師は、浄土の業たる念仏を盛大になるようにおすすめになりつつ、玄忠寺にお住まいになりました。北朝の東魏孝静帝の興和四年に、汾州平遙《へい》山寺（略して遙山寺）にお移りになりました。北の大巌寺から西の玄忠寺へ、内の鸞公巌を包んで、南の遙山寺に行化せられたのでしょうか。

玄忠寺の左訓には「曇鸞のつくらせたまいたる御寺なり。道綽は鸞師の御弟子なり。この寺に道綽は着きて（あるいは継ぎてか）おわしましけり」と見えます。道綽は鸞師の滅後二十年の誕生にて、五十歳に近くなってから、玄忠寺に参詣して鸞師の碑文を読み、捨聖《しゃしょう》帰浄《きじょう》して念仏の弟子となったのです。

次の和讃に往生のことが述べられますように、この遙山寺にて入寂されたのですから、「遷《うつ》りしか」と読むならば、移られたというよりも遷化を意味するのでありましょうか。

9　六十有七ときいたり
　浄土の往生とげたまふ
　そのとき霊瑞《れいずい》不思議にて
　一切道俗帰敬しき

六十七歳におなりになって、時節到来と申しますか、願行具足して浄土の往生をとげられたのです。その時には、はかりしれないようなさまざまのめでたいことが現れて、多くの出家者も在家者も、いよいよ鸞師の仰せにしたがい、よりたのみ、敬いの心をもりあがらせました。

六十七歳を惜しむというのでなく、ひたすらにほめたたえる。それは行きどころのない死ではなく、往生だからです。往きて生まれる浄土をもつ人とは、ゆたかな交流ができます。六十七歳を時節到来といえるのは、信心の眼からです。

「霊瑞」の左訓に「仏も見えなんとしたもうほどのことなり」との不思議な光景が見えますが、

「大経意和讃」の「猶霊瑞華《ゆれいずいけ》」の左訓に「仏の世に出でたもうこと、きわめてまれにまします」とあるのを想起して、まれなる仏が現れたもうような不思議さが説かれているようです。

10
君子ひとえ(へ)にたふとみ(おもくし)て
勅宣《ちょくせん》くだしてたちまちに
汾州汾西秦陵《ふんせいしんりょう》の
勝地に霊廟《れいびょう》たてたまふ

孝静帝は、往生についての霊瑞不思議を聞きて敬いの念つのり、勅命を下してたちどころに、汾州国汾西郡秦陵の文谷《ぶんこく》に葬り、そこにあるすぐれた所に鸞師の霊廟を建立されました。ここまでこまかく鸞師の伝記のまま讃詠されます。お住まいの寺名までゆるがせにしないところに、もしこの師なければと、値遇のよろこびを噛みしめられたのでありましょうか。更に君子を導く師であったことも強調されております。

11
天親菩薩のみことお(を)も
鸞師ときのべたまはずは
他力広大威徳の
心行《しんぎょう》いかでかさとらまし

天親菩薩が『無量寿経優婆提舎《うばだいしゃ》願生偈』の中に、

　世尊我一心、帰命尽十方、無㝵光如来、願生安楽国

などのみことばをお書きになりましても、鸞師がその『偈註《げちゅう》』の中に、その真髄を解き明かすことなくしては、本願他力廻向の広大にして威光の功徳のある、信心と念仏とをはっきりと受け止めることがどうしてできたでありましょうか。

心行は一心起行《きぎょう》です。菩薩は一心五念と申します。五念は礼拝・讃嘆・作願・観察・廻向の行です。これが他力の心行であることを鸞師が明らかにします。帰命は礼拝であり、尽十方無㝵光如来は讃嘆です。一心帰命して如来のお心をいただき、諸仏の称揚讃嘆の声に和するのです。

廻向は、第十四・十五・十六首と往還《おうげん》にわたって詠われるのですが、五念の終りの廻向が実は最初にあることを論主は語ります。

　いかんが廻向する、一切苦悩の衆生を捨てずして、心に常に作願す、廻向を首と為して、大悲心を成就することを得たまえるが故に。

と。これを受けて「正像末法和讃」第三十七首には、

　如来の作願をたづぬれば
　苦悩の衆生（有情）をすてずして
　廻向を首としたまひて
　大悲心お（を）ば成就せり

と、如来廻向を感得するところに真宗があることを明らかにしようとされます。

12　本願円頓《えんどん》一乗は
　逆悪摂《ぎゃくあくせつ》すと信知して
　煩悩菩提体《ぼだいたい》无二《むに》と
　　すみやかにとくさとらしむ

仏のお心が円《まど》かに満ち、すぐに融《と》けこむ、本願の一仏乗法は、五逆十悪のものまでも摂取して捨てないのだと、聞きとることができるならば、煩悩そのまま菩提と一味になるというお救いであったなと、たちどころにがてんできることになります。

「円頓一乗」については、叡山時代、心に沁みている大乗円頓戒あるいは円頓戒壇《えんどんかいだん》かと連想したのですが、「行文類」の、

大智唱《とな》えていわく円頓一乗、純一無雑。

からきているようです。これを鸞師のところでも自在にお詠いになります。

「信知」については、仏願を信じ、それによってわが罪を知るという意味もあり、また信ずることを外にして知ることはあり得ない、信ずることを通して真に知り得る、とも解してみます。

「善導和讃」第十二首には、

　煩悩具足と信知して

本願力に乗ずれば、

「正像末法和讃」第五十四首には、

他力不思議にいりぬれば
義なきを義とすと信知せり

と、「信知」が詠われますので、信のうえに知が加わることによって知を欠くことのできないのが信であるのか、考え合わさねばならぬようです。

もと『往生礼讃』の、

自身は是れ煩悩を具足せる凡夫、善根《ぜんごん》薄少《はくしょう》にして三界に流転し、火宅を出でずと信知す。

より出たものですし、同じく、

今、弥陀の本誓願は名号を称すること下《げ》至《し》十声《じっしょう》聞《もん》等におよぶまで信知して、

とあるところを、『一念多念文意』には、

如来のちかいを信知すと申す心なり。信というは金剛心なり。知というは知るという、煩悩悪業の衆生をみちびきたもうと知るなり。また知というは観なり、心に浮かべ思うを観という、心に浮かべ知るを知というなり。

と、言葉を尽くして知の内容を明らかにせられます。

「逆悪摂す」といいますが、摂することのできないのが逆悪です。これをきらいにくむのが本道です。しかも大悲心から漏れるものがあっては、大悲心の名が消えます。逆悪も念仏すれば、

除かれたるものとの極印を捺《お》されつつ、一人も漏れることなく摂められていくのです。このような次第に痛心しつつうなずくことが信知です。

第三行には左訓「煩悩菩提も一つみづとなり、二つなしとなり」とありますが、「みづ」と読み、同一の水に融け入るのだと理解していたのです。ところが学者の指示により、原文をよくよく拝読しますと、「つ」ではなくして「そ」であることが分かります。原文は勿論片仮名ですから、「ツ」と「ソ」と誤読の可能性もややあるのです。しかし確に「ソ」です。さすれば「身ぞ」となります。煩悩と菩提とが同一身であるとの珍らしい表現です。川水が海水に融けるという譬《たと》えが多いので、おしつけの理解をしておりましたが、過ちを知りお許しを乞うばかりです。

13　いつつの不思議をとくなかに
　　仏法不思議にしくぞなき
　　仏法不思議といふことは
　　弥陀の弘願になづけたり

五種の不思議、一つには衆生多少、二つには業力、三つには竜力、四つには禅定力《ぜんじょうりき》、五つには仏法力ということが説かれていますが、この中で最高の不思議は仏法です。どうして最高かといいますと、仏法不思議は、凡夫のたすかる弥陀の本願が説かれているからです。不断煩悩得涅槃が不思議なのです。不思議とは、凡夫のおもいはかることのできないところで、凡夫のたすかる本願がかまえられ、たすけられてもそれを知らざるほどに広大な力ではたらいているということです。この不思議は、人間の思考に限界を感じ、その破れた彼方に微光を見る仏智不思議なるもので、幽霊とか天狗とかの迷妄の産み出した神秘性とは類を異にすることを、よく知りたいものです。

そこでさきの五つの不思議を眺めかえしてみましょう。一、衆生とは衆多の生死あるものの意で、迷いの境界にある人です。その流転の長さには多あり少あり、と見たいのですが、通常は「少」はつけたりとして省いて、衆生の数の多いことと解されます。二、業の因が業の果を招くことは必然だが、そのすじみちを知り窮めることはできないというのです。三、龍神が風雨をもたらすように、風や雨や雲の流れや地震などは、誰がどのように動かしているのでしょうか。四、禅定とは、迷妄を離れ心が安定して動揺がなくなり心が澄みますから、通常人の見えないところまで眼力が及びます。この神通力をいったものです。第五の仏法不思議だけが不思議中の不思議として、取り上げられているのですが、前四者も通り過ぎずに顧みたいと思います。

この不思議については、「讃阿弥陀仏偈和讃」に「不可思議尊（左訓、心も言葉も及ばれず）に帰命せよ」をはじめとして、「難思光仏《なんし》」も「難思議に帰命せよ」とあるのも、「不」と「難」とを相通ずると見れば、どれほどの尊貴性をもって遇せられているか、よく分かるところです。

14　弥陀の廻向成就して
往相還相ふたつなり

これらの回向によりてこそ
心行ともにえしむなれ

第二行の左訓は「往相はこれより往生せさせんと思し召す廻向なり。還相は、浄土に参り、果ては普賢《ふげん》の振舞いをせさせて、衆生利益せさせんと廻向したまえるなり」と、往還について詳しく示されます。

阿弥陀仏が衆生に与えようとされるお仕事はすっかり出来上りまして、往相という浄土へ往生するすがたと、還相という浄土からこの世に還って、慈悲の普賢菩薩として衆生利益するすがたとの二つのはたらきを示し、この二つの廻向によって、信じて称えてめでたく往生遂げる身となるのであります。

この和讃をよくよく誦みあげてみますと、信じて称えて往生して、還ってきて普賢行を行ずるというよりも、信じて称える一念のところに、如来二廻向による普賢の慈悲光を蒙っていることを知ります。今ここにないことを、流転の時間の後ほどにかくかくのことが起こってくる、というような言い方を祖聖はなさらないのではないでしょうか。われは真宗だという人の還相の語り方は、きれいにも聞こえますけれども、ひとごととしての責任回避のむなしさが残ります。信じて称えるというような大きなはたらきが、ひとをたすけないでおくものでしょうか。

15　往相の廻向ととくことは

弥陀の方便ときいたり
悲願の信行《しんぎょう》えしむれば
生死すなわ(は)ち涅槃なり

衆生が浄土に往生せしめられる如来の恵みについて申します。弥陀が衆生を救わんがために四十八願を建て、時節到来してそれがわたくしのためであったと感じ、わけても別願中の別願たる大悲の願心による「至心信楽、我国に生まれんと欲うて乃至十念せよ」との勅命を、この身に聞きとることができますならば、生死の迷いもそれを資糧としてそのままに涅槃のさとりに転ぜられるのです。

「煩悩即菩提」「生死即涅槃」は、大乗仏教の至極ですが、一心五念もこれを将来するものであるというのです。凡夫にさしのべられた最後の手段であるから、したがってそのさとりの程度は低いものである、と受け取ろうとする間違いをはっきりただすのです。たすかりようのないものがたすかるのですから、その力が非常に大きいのです。むしろ涅槃が動いて涅槃に入らしめるというのが、真実に即しています。

16　還相の回向ととくことは
利他教化の果をえしめ
すなわ(は)ち諸有《しょう》に回入して

普賢《ふげん》の徳を修するなり

第三行の左訓は「十方の万の衆生なり」、第四行は「普賢というは仏の慈悲の極まりなり」とあります。

浄土に往生して後すぐにこの世へ還らしめる、還相廻向のその内容は、自力では他を利することはできなかったのに、他を利し浄土へ教え導く力を得ることができ、十方の迷える衆生の中にたち還り、遍《あまね》く吉兆《きっちょう》ならしめ、敵も味方もなく、仏の慈悲の至極を行ずるのです。われ慈悲を行ずというのではなく、一心五念によって、用もなき身を如来の用に役立てたもうのです。この信心の積極性は、涅槃の証を得てから還相するのではなさそうです。誉められてよろこび、謗られて怒り悲しみ、全く別方向に見えたけれども、眼開けて今日見返るならば一如平等、めでたき往生にてそうろうと、自他もろともにこう言い合える関係をつくりあげなければ、この人生はおさまりのつかないようになっているようです。還相の眼を開かねばおさまりはつきません。

17

論主の一心とときけるおば
曇鸞大師のみことには
煩悩成就のわれらが
他力の信とのべたまふ

天親論主が世尊に対して「我一心」という、一心の表白をされまして、これを一心の華文とたたえます。鸞師はこの一心をおさえて、煩悩成就の凡夫のために如来から賜わった、他力廻向の信心にほかならないと、『論註』の中に述べられました。

「我一心」という表現は、わたしは一所懸命に、という程度で見落してしまうのですが、鸞師の眼光はむしろ論主を超えて中に入りました。信心という言葉は信ずる心となって、確認のめもりがぼやけますが、信心のことを一心というといえば、一心は二つまじらない心で、人間の心はどうしても二心となりますので、如来の心は純粋な一心であると聞けば、よくうなずけます。「我《われ》」をして「一心」たらしむることこそ救いです。一心は他力の信心であるとの洞察力をこの上なくたたえるのです。

18

尽十方の无㝵光は
无明《むみょう》のやみをてらしつつ
一念歓喜《かんぎ》するひとを
かならず滅度《めつど》にいたらしむ

十方衆生を尽くして、いずれの煩悩にもさまたげられることのない阿弥陀仏の光明は、无明煩悩のくらがりを明るく照らして、その照らしにより一念の信のよろこびを得た人は、間違いなく涅槃を証すべく導かれていきます。

救いは一念にきわまります。一念には永劫《ごう》が摂まります。一念とは、わたくしが南无阿弥陀仏

になりきるときです。この一念の尊貴に遇うことが、生涯の大事業です。「讃阿弥陀仏偈和讃」第二十四首にも、

一念慶喜《きょうき》するひとは
往生かならずさだまりぬ

と、同調が詠われます。「慶喜」も「歓喜」も同じくよろこびの意味で、煩悩のよろこびと異質であることを心に刻まねばなりません。一念歓喜は健康のひび割れに際しても失われないのです。災難の中にも、一念の信は悲しみつつも、その意味を深く考えさせます。

19

无导光の利益《りやく》より
威徳《いとく》広大の信をえて
かならず煩悩のこほりとけ
すなわち菩提のみづとなる

阿弥陀仏のさわり(は)をさわりとしない光明智慧よりもたらされるご利益として、「威徳侶《ともがら》無く」「功勲《くくん》広大」なる廻向の信心を賜わることができ、それによって必ず煩悩の氷もとけ、そのまま菩提の水と変わります。氷と水の譬えは非常によく分かります。転変でありつつ、もと一体であることにうなずくのですが、さて煩悩と菩提とのものがらが一つであることを知るには、体験実証によるほかありません。無明が明《みょう》に転ずる次第も同様です。

すでに第十一首にも「他力広大威徳の心行」とありましたように、自他に向かって信が威徳広大であることを語りたく、「行文類」にも、

仏の威徳広大を聞くが故に、不退転を得るなり。

と見えます。信心は、わが胸の中に小さく抱きこむもの、との勘違いもなきにしもあらずだが、実は信心は広大なのです。中空の星を眺めて感じる広大はあっても、わが身に即しての広大は、信心においてはじめて実証するのではないでしょうか。広大なる信のうえに威徳がかがやくのです。

20

罪障《ざいしょう》功徳の体《たい》となる
こほりとみづのごとくにて
こほりおほきにみづおほし
さわり(は)おほきに徳おほし

第四行の左訓は「悪業煩悩なり、功徳となる」と見えます。煩悩悪業罪障はそれがそのまま功徳の内容となります。それは丁度、氷が解けて水となる関係のように、氷が多ければ解けた水も多いのです。

罪障が多ければ、それにつれて功徳もまた多いのです。業障の身が、念仏に呼びおこされている事実です。功徳が多くなることは、同時に罪の身を知るのです。罪のおもいが深くなって、自

分の全存在が罪となってしまうことを離れて、こしらえた功徳があるのではありません。

氷が多ければ水が多い、という言い方は、非常に自然でどこにでも根拠がありそうですが、たやすくは見い出せないのです。これが祖聖の書写された「信微《しんび》上人御釈」（西本願寺収蔵）の中に発見されたのです。

障滅すれども去《い》ぬる所無し、氷解《と》けて水と為るが如し。氷多ければ水多し、障多ければ徳多し。

と、全くそのものずばりです。自信を確認するために、いかに広く渉猟《しょうりょう》されたかその一端に触れて、伏しつ仰ぎつするばかりです。

21

名号不思議の海水《かいしい》は
逆謗の死骸《しがい》（屍）もとどまらず
衆悪の万川《ばんせん》帰しぬれば
功徳のうしほに一味なり

人間の思慮を超えたところにはたらいている名号という海水は、弥陀の誓願の中にも五逆誹謗《ひほう》正法《しょうぼう》はどうしようもないとて除かれているしかばねさえもそのままにはおかないで、ありとあらゆる悪がもろもろの濁水の川となって流れ入っても、如来の徳をたたえた海水と同化せられて、しかばねが如来のいのちの花を開くのです。

「逆謗《ぎやくほう》」と聞けば直ちに「除かれたるものとして救われている」とのお心のこもった『尊号真像銘文』を拝読したくなります。

唯除五逆誹謗正法というのは、唯除はただのぞくということばなり。五逆のつみびとをきらい、謗法のおもきとがをしらせんとなり。このふたつのつみのおもきことをしめして、十方一切の衆生みなもれず往生すべしとしらせんとなり。

ここにまさしく真宗の極意がふきだしております。如来の至心信楽をひとすじにとる心です。「みなもれず」とのお言葉の中において、除かれたるわたくしの死骸の重さを痛みます。

「死骸」とは、よくも言い当てたものです。この言葉のいのちをよく見たいと思います。「衆生」の字の意味は、迷いが深く超脱の路の閉じられたるものであるのに、「いきとしいけるもの」との美しい口調をそのまま借用したり、また「生かされて生きる」という宗教哲学者の用語が、いつしか真宗一般の潮流になったようですが、往生道であることに心を寄せたいと思います。煩悩無尽なるものは死骸であり、その死骸に往きて生まれる道を開くのが真宗念仏であることの原点にかえりたいと思います。祖聖をして「浮かれたる人なり」と悲しませることのなきよう心すべきです。さまざまのさわりに行きなずむ人生が多いのですから、自分ひとり何かに甘えて美しい言葉に眩惑《げんわく》されないで、どこまでも「死骸であること」を大切にわが身に言い聞かせたいと思います。

22

尽十方无㝵光仏の
大慈大悲(大悲大願)の願海(海水)に
煩悩の衆流《しゅる》帰しぬれば
智慧のうしほと転ず(に一味)なり

十方の衆生、いかなるさわりがあろうとも、さわりなく照らしたもう弥陀の光明は、無明のくらがりにありつつもそれを知らないものどもに、大慈悲心のこもった本願の海へ呼びかえすのです。その願海に、煩悩で濁った多くの流れが注ぎ入りますと、それがすぐさま智慧の海水そのものに変わってしまうのです。

この「願海」は、祖聖の愛好された表現のようで、本願という形の見えないものを、誰人も眼にすることのできる海をもってたとえとし、本願の心は広大にして転悪成徳の力あること、まさしく海ではないかとよろこばれたのが、いつしかにたとえにこだわることなく、願と海とが一体になって、願海は弥陀法の見事に生きた音声となっています。

ここに慈悲と智慧が出ますが、別々のものか一つに二名があるのか分かりかねます。「大経意和讃」第十首の、

諸仏の大悲ふかければ
仏智の不思議をあらわして

は、慈悲より智慧をいだすことがよく分かります。また「正像末法和讃」に至りますと、「智慧

の念仏」「信心の智慧」と詠われることによりまして、念仏も信心も如来の智慧であるという、重要な視点が与えられます。如来の大悲より衆生に与えられるものが智慧であるとしますと、念仏や信心についての自力的誤解が、ゆるやかに解消していきます。

第十九首よりこの第二十二首まで、煩悩が菩提とか功徳とか智慧とかに転ずるという同巧のところが続きましたので、その根源である『維摩経』文を掲げます。「仏道品」第八の文殊師利《もんじゅしり》と維摩詰《ゆいまきつ》との問答のところです。

譬えば高原の陸地《ろくじ》に蓮華を生ぜず、卑湿《ひしつ》の淤泥《おでい》にすなわち此の華を生ずるが如し。当に知る当《べ》し、一切の煩悩を如来の種と為すことを。譬えば巨海に下らざれば、終に無価《むげ》の宝珠を得ること能わざるが如し。是《かく》の如く煩悩の大海に入らざれば、則ち一切の智宝を得ること能わず。

火中に蓮華を生ず、是れ希有《けう》なりと謂うべし。欲に在りて禅を行ず、希有なること亦是《かく》の如し。

と。これらのことが仏智不思議によって、どこでどのように具現されるか、実証の論究を進められたのが、鸞師その人であったわけです。

23　安楽仏国に生ずるは
畢竟《ひっきょう》成仏の道路にて

无上の方便なりければ
諸仏浄土をすすめけり

弥陀の安楽浄土に生まれるのはどういうことかといえば、われらにとって最高のゆきつくところ、仏にならしめられる道路となるものであって、これこそ弥陀の救いの何よりの手だてなるものですから、諸仏が浄土に生まれなさいとおすすめになるのです。

ここは『論註』下の、

方便と言うは、謂く一切衆生を摂取して、共に同じく彼の安楽仏国に生ぜんと作願す。彼の仏国は即ち是れ畢竟成仏の道路、無上の方便なり。

とあるままです。更に方便について尋ねますと、

正直《しょうじき》を方といい、外己《げこ》を便という。正直に依るが故に一切衆生を憐愍する心を生ず。外己に依るが故に、自身を供養《くよう》し恭敬《くぎょう》する心を遠離《おんり》す。

とありまして、正直外己、まっしぐらに自分をかまわない、とはよくも言いけるかなです。衆生の危うさを黙視することができず、供養と恭敬とを受けるべき仏身をそこに投げかけるのです。方便は真実が形を現したものですから、軽いものではないのです。方便の外に真実があるというものではないのですから、てだてというだけでは充分でないのです。真実が方便を示すのは自己証明です。方便となり得る力を備えているのが真実です。方便を示すことができなければ、真実とはいうことができないのです。方便に遇うて真実を感知することができるのが真の方便です。

ウソも方便など大きな顔していますが、それは恥ずべき奸智《かんち》に過ぎないので、真実を離れて方便はありません。惜しいかなこの方便も他力と並んで悪用される最たるものです。

24

諸仏三業荘厳《さんごうしょうごん》して
畢竟《ひっきょう》平等なることは
衆生虚誑《こおう》の身口意《しんくい》を
治《じ》せむ(ん)がためとのべたまふ

左訓は、第二行「平等はすべてものにおいてへだてなき心なり」、第三行「むなし、くるう、悪業煩悩の心なり」、第四行「おさむ、たすくる心なり、しゃす、差《しゃ》すというはけち失う心なり」とあります。

阿弥陀仏が、身のわざ・言葉・おもいの全体相を端麗にかざられて、どこどこまでもへだての心をもたず、衆生をありのままに視られますのは、衆生の「むなしく、いつわり、かざり、へつらう」身口意三業の病を癒《いや》してあげたいためである、とお述べになっています。

第三行の「虚」は、真実に背く虚妄分別《こもうふんべつ》、虚仮不実です。むさぼりと無明から出ます。「誑《おう》」は、欲望にくるわされる煩悩です。「心、正直ならざれば名づけて諂誑《てんおう》と為す」とも、「利誉を獲んがために、不実に徳有りと現じて、いつわりあざむく」と解されます。

左訓「しやす」は「消し失う」のだから、「赦《しゃ》す」と見て「罪をゆるす、刑罰を免除する」と

読んでいたところ、「方便化身土文類」を見るべしと聞いて、『涅槃経』の、

病根を知るを以て、薬を授くるに差《しゃ》することを得。

とあるに深くうなずき、癒《い》ゆ、病去ると了解することができたのです。

25

安楽仏国にいたるには
无上宝珠《ほうしゅ》の名号と
真実信心ひとつにて
无《む》別《べつ》道《どう》故《こ》とときたまふ

第二行の左訓は、「如意《にょい》宝珠のたまなり。この宝珠は濁れる水に入るれば、水は澄めども身さびいず。水晶は濁り水に入るれば身さびいる。かるが故に水晶をば万行万善にたとえ、宝珠をば名号にたとう」と巧みな譬《たと》えが示されます。自力の善行は自身が錆《さ》びて挫《ざ》折《せつ》もしますが、宝珠の名号は濁りあるものをたすけたすけて、自身は錆びることなしとは象徴的です。

弥陀の安楽浄土に生まれるには、如意宝珠のような、衆生煩悩の濁りを清澄ならしめる名号と、それが弥陀廻向のみ名であると同じく、如来廻向の信心を因とするばかりで、ただこのこと一つで更に別の道はあるべくもない、とお説きになっています。

名号と信心と二つと言わないで、「ひとつ」という所に注目すべきです。二つとして受けとめるのは分別です。

弥陀の本願ともうすは、名号をとなえんものをば極楽へむかえんとちかわせたまいたるを、ふかく信じてとなうるがめでたきことにて候なり、信心ありとも、名号をとなえざらんは詮なく候。

との「信じて称うる」は、この二つに時間的順序やものがらの別体を見ているのでなく、信じることは称うるを離れて成り立たず、称うるは信じる内容となるものです。行も信も如来のおんちかいですから、われらにとっては一念帰命の一つです。無上の宝珠を与えられながら、宝の持ちぐされとなって終ることは痛恨の極《きわ》みです。

26

如来清浄本願の
无生《むしょう》の生《しょう》なりければ
本則三三《ほんそくさんざん》の品《ほん》なれど
一二もかわ《（は）》ることぞなき

第二行の左訓は、「六道の生を離れたる生なり。六道四生に生まるること、真実信心の人はなき故に无生という」、第三行は「本は九品《ここのしな》の衆生なり」です。九品は『観経』に説かれた九つの品種、上上・上中・上下は大乗の善人、中上・中中は小乗の善人、中下品は世間の善人、下上・下中・下下は世間の悪人という分け方です。

彼の浄土は、弥陀如来の清浄なる本願によって開かれたところだから、その生まれ方も、三有《さんぬ》虚妄《こもう》、六道四生、流転輪廻の生ではないのです。娑婆界においては九品種に分かれていましょうとも、往生を願い同一に念仏して真実信心を得た人は、一とか二とかのわけへだてのない、浄土の平等性を楽しむのであります。

この鸞師の「無生の生」に浄土の真実義を見い出された祖聖は、どれほど帰伏されたことでしょう。しかも世人をして浄土往生へと心を傾けさせるには、方便化身の浄土を説かずにおれないという、苦しみがあったのです。浄土へ生まれるといっても、明けても暮れても妄執しているこのわたくしが、少しく形を変えて、今よりうんとよくなることだとの妄分別を、無明として破りたいとの志願が燃えていたのです。我執がつくりあげた、こうでもあろうかという浄土や涅槃は、自己内心の虚像に過ぎません。道元禅師が、

さとりもおぼえしがごとくにてもなし、かねておもふ、その用にたつべきにあらず。

と言われましたように、胸の中で予定しこしらえたさとりは、張り子の虎で不住涅槃の立ち上りはできません。

『入出二門偈頌』には、

諸機は本《もと》すなわち三三の品なれども、今は一二の殊異なし。同一に念仏して別の道なければなり。なお淄澠《しじょう》の一味なるが如きなり。

と、『浄土論』を偈讃されますが、淄《し》水と澠《じょう》水との二つの河が流れて一味平等となると、譬えるのであります。

27

无㝵光如来の名号と
かの光明智相とは
无明《むみょう》長夜《じょうや》の闇《あん》を破し
衆生の志願をみてたまふ

阿弥陀如来のおん名と、その智慧が形を現した光明とは、無明煩悩のいつ暁を迎えるとも果て知らぬ暗い闇を破り、往生を願う衆生の志願を満足せしめたもうのです。

「行文類」における主要課題として引用されるもの、すなわち『論註』上には、

いかんが讃嘆門、いわく彼の如来の名を称し、彼の如来の光明智相の如く、彼の名義の如く、実の如く修行し相応せんと欲《おも》うが故にとなり。

とあり、「下」に至って、

彼の名義の如く、如実修行相応せんと欲する者は、彼の无㝵光如来の名号は、能く衆生の一切の无明を破し、能く衆生の一切の本願を満てたもう。

とあるところが組み合わされて今讃となっております。しかもこの文に続いて、

然るに名を称し憶念することあれども、无明なお存して所願を満てざるはいかんとなれば、如実修行せざると名義と相応せざるに由るが故なり。

とある所が、次々と来る和讃を展開していきます。この消息は、念仏問題の解決を信心に求め、信心必然の難関に取り組むことを、念仏者の使命とするのであります。

28　不《ふ》如実《にょじつ》修行といえ《(へ)》ること
　鸞師釈してのたまはく
　　一者《いっしゃ》信心あつからず
　　若存若亡《にゃくぞんにゃくもう》するゆへに

第一行の左訓は、「実の如く修行せずと」、第四行は「生きたるが如し。死にたるが如し。存ぜるが如し。亡ぜるが如し。あるときには往生してんずと思い、あるときには往生は得せじと思うを、若存若亡というなり」と解かれます。

『論註』下には、如実修行をはっきりしたいために、どうして不如実修行がおこるのかを詳説されます。

　一つは信心淳《あつ》からず、二つは信心一ならず、決定《けつじょう》無き故に、三つは信心相続せず、余念間《まじわ》るが故なり。此の三句展転《てんでん》して相成ず。信心淳《あつ》からざるを以っての故に、決定無し、決定無きが故に念相続せず、亦念相続せざるが故に決定の信を得ず、決定の信を得ざるが故に心淳《あつ》からざるべし。此れと相違せるを如実修行相応と名づく。

とある所が、第三十二首まで関連して讃詠されます。

不如実修行、これは如来の真実から流れ出たままにそれによりそうて念仏していないということです。名号を称えても無明は破れないし、願いがかなえられないというのは、名号を称える側に間違いがある。それについて鸞師の解釈がほどこされているのです。一つには信心が淳心《じゅんしん》でない。淳心とはあつい心、深い心です。世が淳《あつ》く、人が質《すなお》といわれるように、純樸《じゅんぼく》あるいは純朴《ぼく》とて、まじりけがなく、ありのままでかざりけがないことです。信心があつくないと、疑心自力からあるいは往生できるときめこんだり、あるいは往生できないのではないかと、あやふやな分別に煩わされます。純粋か不純粋かは大きな問題です。

念仏を称えていても、如来の真実の信に立っているか、不如実の信になっていないか、これを不如実というところから照らして語るのは、まことに懇切です。念仏を称えつつ、如来のお心のままにようあらしめないのは、信心が不純粋であるからだと自らに知らしめるほかに、淳心を感知するてだてはないのです。不如実が説かれるのは、ただいけないということではないのです。これは丁度、無我にならなければならないのに、どうしても無我になることができないと知らしめて、広大なる信心が廻向されることを考え合わせてみたいものです。

29

二者《にしゃ》信心一《いっ》ならず
決定《けつじょう》なきゆえ（へ）なれば
三者《さんじゃ》信心相続《そうぞく》せず
餘念間故《よねんけんこ》とのべたまふ

第二には、信心が一つにならないのです。信心は一心であって二心三心であってはならないのに、弥陀一仏をたのむ決心がついていないからです。第三には、信心がときどきとぎれるのです。

ある時にはあるかの如く、ある時にはなきかの如くにして、地下水の平常底のいつでもどこでもが見い出せないのです。それは餘分な心、他のことを思う雑念がまじわり入りこむからです。

「決定」については、八十八歳のお手紙、

善信が身には、臨終の善悪をば申さず、信心決定の人はうたがいなければ、正定聚に住することにて候なり。

との信心決定を想起せずにおれません。邪定は無理にきめようとする、不定はきまらない、正定はまさしくきまってくる、という三様態ですから、信心決定も自分で強がってきめるのではなくして、自らの救いの上にこれ一つしかなかったのだと、帰入せしめられる事実であります。

30

三信展転相成《てんでんそうじょう》す
行者《ぎょうじゃ》こころをとどむべし
信心あつからざるゆへに
決定の信なかりけり

信心が淳心でないことと、一心でないことと、相続しないこととの三つが、お互いに他にかかわり動かし合って、不如実となっているのですから、念仏する人はよくよくここに心を留めねばなりません。信心の上に分別心が残っているから、弥陀一仏をたのむ決定心ができず、あやふやなままになるのです。

「展転」というのは互いに望め合わせることですが、関連の事項に照らし合わして深思に資したいと思います。それは『唯識』の上に、

　種子生《しゅうじしょう》現行《げんぎょう》、現行薫《くん》種子、三法展転因《ぼうちんでんいん》果《が》同時。

という言葉がありまして、かくれた種子の因から、果の現行として形を表し、その現行は直ちにもとのところへ薫習《くんじゅう》の気分たる種子を薫じつける、すなわち第一の種子から現行へ、その現行の因から第二の種子を果とする、この三様態は時間的順序でなく、互いに因となり果となって、全く同時に因果が成立する出来事だというのです。因果はその証明が不可能であるにもかかわらず、異時として因果を受けとるのですが、この因果同時の説は貴重な教えと考えます。

　祖聖のお手紙の一、二に注目してみましても、

　信の一念、行の一念、ふたつなれども、信をはなれたる行もなし、行の一念をはなれたる信の一念もなし。

　弥陀の本願ともうすは、名号をとなえんものをば極楽へむかえんとちかわせたまいたるを、ふかく信じてとなうるがめでたきことにて候なり。

と、信じることが先にあって後にとなえるとのお示しでなく、信と行とは同時です。更に「信心のさだまるとき、往生またさだまるなり」との、信心と往生との同時性も解けてゆくのであります。往生は未来でありますが、安心の現在よりは真実に即した現行として、ここに生きているのであります。

31
決定の信なきゆへに
念相続《そうぞく》せざるなり
念相続せざるゆへ
決定の信をえざるなり

弥陀一仏を深くたのむ信心決定がえられていないから、余分な思いのまじることのない一念の信が、とぎれて続かないのです。一念の信が相続しないから、信心決定の時が熟することがないのです。

このようにして、不如実に照らして信心を追究する鸞師の克明な解き明かしをそのままにたどって、同じ言葉を反復して一首一首が作られてゆきます。一首がそれぞれ独立している和讃としては、このような連鎖をもってたたみかけるところ、別の興趣をそそられます。

32
決定の信をえざるゆへ
信心不淳《ふじゅん》とのべたまふ
如実《にょじつ》修行相応は
信心ひとつにさだめたり

弥陀一仏をたのむ信心決定がないから、信心といっても自分の浅短な心でとりきめたもので、深くしてはからいのまじらない淳心とはならないのだと、このようにお述べになります。これによって明らかになりますように、如来が南无阿弥陀仏を与えたもうた、そのまことのお心にかなって念仏をとなえていることを確認できるのは、ただ信心一つという手ごたえによって決定されるのであります。

誰しも自分のとなえている念仏は、仰せのままで狂いはないと自認するのですから、それに対して如実修行相応であれと呼びかけるのに、不如実修行に照らして、信心をもって明証しようとされたのです。鸞師が不淳・不一・不相応と述べられたところを、道綽が淳・一・相応の信心として積極的に語られたので、これを「三不《ぶ》三信誨《け》慇懃《おんごん》」「信心のゆがみを三つの不で述べられたのを、信の三性とお説き下さったそのご教誨はまことにごねんごろな思し召しです」と讃詠されることになります。鸞師の「無生の生」も「不如実修行」も、願文の「唯除」を根源力とするもので、否定的な言辞を用いなければ、横超の躍入は困難なのです。やがては源空法師によって「不廻向」と名づけられることによって、真実信心の称名が弥陀廻向の法であることを、明瞭ならしめたのであります。和讃拝誦を通して、「不」の恩徳の感佩を一層深めずにおれません。

33

万行諸善の小路《しょうろ》より
本願一実の大道に
帰入しぬれば涅槃の
さとりはすなわ《(は)》ちひらくなり

諸善万行の手さぐりの迷いの小さな路は、さとりの成果はおぼつかなく、その小路を離れて弥陀の本願というただ一つしかなく真実にまします大きな道に、すべてを捨ててよりかかるならば、仏法最高のねがいたる涅槃のさとりが即座に開かれるのであります。

あれがよいかこれがよいかと、とまどうていくのを「小路」といい、誓願一仏乗を「大道」と名づけて、区別をはっきりされた点は大切にしなければなりません。悟道より見た迷路へのあわれみです。大道であればこそ大涅槃に直結するのです。

34

本師曇鸞大師おば(を)
梁《りょう》の天子蕭王《そうおう》は
おはせしかたにつねにむき
鸞菩薩《らんぼさつ》とぞ禮《らい》(礼)しける

わが根本の師と仰ぐ曇鸞大師に対したてまつり、南北朝の梁の第一世高祖武帝蕭王は、大師のおいでになられた方角に向かって、鸞菩薩と呼んで敬意を捧げ礼拝されました。

「本師」というのは、和讃の上で龍樹の時には「本師龍樹」、源空の時には「本師源空」と呼ぶのですが、これは他との比較の上で唯一無二の根源の師というのではなく、そのような比較を超えて、この師のこの教説によって本願念仏の根本義をさとることができたという、一人に対坐しての尊崇の思いのこめられたものです。

「鸞菩薩」について、中国では菩薩の称号はないのです。それを知りつつ、天親菩薩と一体と見たのか天子が鸞菩薩と礼拝されたことに、祖聖が感嘆せられたということです。ご自分もそのようにお呼びになってみたのでしょう。後世このことに動かされたのか、祖聖のことを真宗では還相の菩薩とお呼びすると聞いていますが、今日では如何でしょう。

最後の一首は、第十首に続いて置かれるべき性質のものであるわけですが、この「鸞菩薩」が最後に置かれましたのは、南無帰命鸞菩薩と楽しげに唱えつつ、長い和讃を擱筆《かくひつ》されたのでもありましょうか。

道綽禅師　付釈文　七首

1

本師道綽禅師《どうしゃくぜんじ》は
聖道万行《しょうどうまんぎょう》さしおきて
唯有《ゆいう》浄土一門を
通入《つにゅう》すべきみちととく

第一行の左訓は、「道綽は涅槃宗を学せさせたまいけるをさしおきて、ひとえに浄土に帰したまいたり」です。

本師道綽禅師（禅宗の師家ではなく、すぐれた仏法者の敬称です）は、鸞師の寂後二十年して并州汶水（あるいは晋陽《しんよう》ともいう）に生まれ、六四五年、八十四歳入寂です。『涅槃経』によく通じていたが、五十歳に近くなってから、石壁《せきへき》の玄忠寺で鸞師の碑文を読み、大いに心を動かされ、今までの『涅槃経』学習による聖道門自力の万行では、涅槃の証し難いことをさとり、これを捨てて、ただ浄土の一門だけが、凡夫のたすかる道であることを決定し、浄土に帰せよと人にも説くことになったのです。

この「さしおきて」「帰す」の転向は、道綽禅師の『安楽集』によるもので、すでに「曇鸞和讃」のうえに推考した所です。

2

本師道綽大師は
涅槃の広業《こうごう》さしおきて
本願他力をたのみつつ
五濁《ごじょく》の群生《ぐんじょう》すすめしむ

本師道綽大師は、鸞師の碑文によってなるほどそうであったと深くうなずき、今までの『涅槃経』の学匠として広くあがめられる、晴れやかな講説をさておいて、弥陀の本願他力廻向を深く信じることになり、五濁悪世に埋もれて救いの道の閉じられた、多くの迷える人びとに、浄土の救いありとすすめられたのであります。

この「涅槃の広業さしおきて　本願他力をたのみつつ」は、すでに「曇鸞和讃」第二首の、

四論の講説さしおきて
本願他力をときたまふ

が先行しており、ゆるぎなき「本願他力」の伝統相承がたたえられるのです。これらの学匠が、五濁の群生のたすかるためには、何を捨てておいても本願他力に向かわざるをえない「この事実を見よ」という所です。

五濁は五つの濁りです。一劫濁《こうじょく》、時代の汚濁、時代が悪く移り変わる。二見濁、思想が間違っ

てむなしい争いとなる。三煩悩濁、煩悩業火が燃えさかる。四衆生濁、仏法心鈍く修行の体力は弱く、いたずらに悩み、真に受くべきものを受けとめる力がない。五命《みょう》濁、自分のいのちの尊さにめざめることができず、したがって他人のいのちを粗末にする。これらがまじり合って「五濁の群生」を現出しているというのです。

この命濁について、命の濁りによって短命となると説かれるのは、どうも心が苦しくてすなおにうなずくことができないのです。わたくしのかたよった解釈になるかとも思いますが、如来のおんいのちの清浄なるを濁してしまうこの機のことのとみたいのです。歌人斎藤茂吉の大正二年の作に、

あかあかと一本の道とほりたりたまきはる我が命なりけり

というのがありまして、わが師によって開かれたる歌の道に命を捧げて参りますとの誓いなのでしょうが、これを一転して、わたくしにおきましては本願一実の大道があかあかと開けているその中を、本願をいのちとせよとの声を聞きながらすすんでいく、そうでありながらこの命を濁し続ける痛ましさを、あわれみをもって言い当てられたる言辞でないかと推求してみます。

3

末法《まっぽう》五濁の衆生は
聖道の修行せしむとも
ひとりも証《しょう》をえじとこそ

教主世尊はときたまへ
正法像法《しょうぼうぞうぼう》の時は終って今やまさしく末法の世となり、この時機に生まれ合わせた迷える五濁のやからは、すすめて聖道自力による修行をやらせてみても、一人としてさとりを得ることは多分できないだろうと、教法の主であられる釈尊はお説きになっていられます。
祖聖の道綽大師敬仰の主眼点は、末法の自覚ということにあります。正法においてはこよなき教法も、末法においては動きがとれないと明察されたのです。大師は五六二年の誕生にて仏滅一五一一年ですから、仏滅後五百年の正法、次の千年の像法も過ぎて、まさしく末法に入ったとの沈痛なる自覚です。
『選択集』開巻第一に、
ひとつにはいわく聖道、ふたつにはいわく往生浄土なり。その聖道の一種はいまのとき証しがたし。ひとつには大聖をさること遙遠なるによる。ふたつには理ふかく解微《げみ》（さとりすくなき）なるによる。このゆへに『大集月蔵経《だいしゅうがつぞうきょう》』にのたまわく、わが末法の時中の億々の衆生、行をおこし道を修すとも、いまだ一人もうるものあらじ。当今は末法これ五濁悪世なり。ただ浄土の一門のみありて通入すべきみちなり。
とあり、これが今の一首となっています。大聖世尊をへだたることあまりに遠く、修行衰微の時代であることはしたがい易いのですが、聖道として説かれた仏法は理が深くして領会が微少であるとの説は、よほど思惟をめぐらさねばならぬと考えます。

4

鸞師のおしへをうけつたへ
綽和尚《しやくかしよう》はもろともに
在此起心立行《ざいしきしんりゆうぎよう》は
此是《しぜ》自力とさだめたり

第三行の左訓は、「ここにありて心を起こし行を立つるは」です。

道綽大師は、鸞師の本願他力の教えを受けついで、教えのままに力を合わせ、この娑婆世界にあって菩提心を起こし、修行して浄土に生まれたいと願うのは、それは自力無効であると判定されました。

本願他力にめざめた大師であればこそ、菩提心を起こすことまで自力としてしりぞけられたのです。自力とは、人間の持てる力をふりしぼることです。これはりっぱそうに見えますが、人間の力の中に人間を救う力がないのです。自力の破れたところに感じるものが本願他力です。自力と他力とが対立しているのではありません。自力はかぶとをぬいでよろこんで消え去るのですが、完全に破れたつもりでありつつ、またいつしか自力の執心がめばえているのです。自力が破れて他力を迎え入れたはずのところ、自力がその他力の台座となっているほど執念ぶかいのです。徹底して自力が照らし出されるところに、他力行の反復の楽しさがあるわけです。

5

濁世《じよくせ》の起悪造罪《きあくぞうざい》は

暴風駛雨《ぼふしう》にことならず
諸仏これらをあわ《(は)》れみて
すすめて浄土に帰せしめり

五濁悪世なるがゆえに、悪心を起こし罪を造ることは、あたかも暴風や急な烈しい雨のように、にわかにふき出してとどめようもないのです。そこで十方の諸仏はこの起悪造罪をあわれんで、弥陀の本願力をたのむ浄土往生をおすすめになったのです。

ここも『選択集』に依ります。

若し起悪造罪を論ずれば、何ぞ暴風駛雨に異ならんや。是を以って諸仏の大慈勧めて浄土に帰せしむ。

と。ここだけに限られてはいないのだけれども、道綽大師のお言葉を源空法師が自らのものとして血肉化し、その文言を依り所として讃詠する、その念仏相承の恭敬心をよく受けたいと思います。

悪を捨ておかずして大慈がおこされたのですが、更に事実に則していえば、悪を痛感することを外にして、如来の救済にめざめることはないといえます。むしろ本願の真実の中に許すべからざる悪として発見されるというべきです。

6　一形悪《いちぎょうあく》をつくれども

専精《せんじょう》にこころをかけしめて
　つねに念仏せしむれば
　諸障自然《しょしょうじねん》にのぞこりぬ

一生涯、造りと造ること悪業でないものはない、ということは痛ましいことです。けれどもこの悪業を捨ておかないと念じたもう仏がましますのですから、もっぱらその弥陀仏に心を投げかけて、常につつしんで念仏をとなえていると、さまざまの罪障が、自分ではどうしようもないのに、願力の自然によって不思議に除かれてゆきます。

これも『選択集』に依ります。

たとい一形悪を造れども、ただ能く意をかけて、専精に常に能く念仏すれば、一切の諸障自然に消除して、定んで往生を得ん。

とある所です。この「能く」には常に注目しています。人間にはない能力を如来から与えられるのです。念仏せよと言われるまま念仏できるものではないのです。

能念はよく名号を念ずとなり、よく念ずともうすはふかく信ずるなり。（『尊号真像銘文』）

と聞きますように、願から生じた信によって念仏申す巨大な能力が与えられるのです。

「正信偈」に、

一生悪を造れども弘誓にもうあいぬれば、

との、悪なればこその値遇が感動的にたたえられますが、これも別格の華文ではないでしょうか。

一形悪、一生悪は、虚仮の善悪ともに如来に背くものとしての、わが生涯の如来の処断です。

7

縦令《じゅりょう》一生造悪の
衆生引接《いんじょう》のためにとて
称我名字《しょうがみょうじ》と願じつつ
若不生者《にゃくふしょうじゃ》とちかひけ(た)り

これは第十八願文を道綽大師流に読解された貴重な所ですので、先ず『選択集』引用の『安楽集』上の文を掲げます。

大経にのたまわく、もし衆生有りて縦令《たとい》一生悪を造れども、命終《みょうじゅう》の時に臨んで十念相続してわが名字を称せんに、若し生まれずといわば正覚を取らじ。

この「一生造悪」と「称我名字」とのかかわり、更に善導大師が「称我名字下《げ》至十声《しじっしょう》」としてこれを受け継ぎ、ともに「唯除の文」が割愛されているなど、祖聖の上に大きな投影をなし遂げてゆくことになります。

第二行の左訓は「導き取る、取るというは手に取る心なり」とありまして、来迎引接《らいごういんじょう》、如来が衆生の手を取って迎えたもうの意です。

たとえ一生涯造悪の身の衆生でありましょうとも、如来は親身になってたすけんがために、本願をたててわが名を称えよ、称うれば必ずたすかる、もしも汝の往生浄土がかなわぬということがあるならば、自分も仏とはならないと誓われました。造悪の身を離れて称我名号はどこにもありません。

善導禅師　付釈文　二十六首

1

大心海より化《け》してこそ
善導和尚《ぜんどうかしょう》とおはしけれ
末代《まつだい》濁世のためにとて
十方諸仏に証《しょう》をこふ

善導和尚（六一三～六八一）は道綽大師の教化を受けて浄土門に入ったのです。『観無量寿経疏《しょ》』四巻、「四帖《しじょう》の疏」といい、「玄義分《げんぎぶん》」・「序分義《じょぶんぎ》」・「正宗分定善義《しょうしゅうぶんじょうぜんぎ》」・「正宗分散善義《さんぜんぎ》」を著し、更に『観念阿弥陀仏相海三昧《そうかいさんまい》功徳法門』（『観念法門《かんねんぼうもん》』と略称）一巻・『転経行道《てんぎょうぎょうどう》願往生浄土法事讃』（『法事讃《ほうじさん》』と略称）二巻・『往生礼讃偈《らいさんげ》』一巻・『依観経等明般舟三昧行道往生讃』（『般舟讃《はんじゅさん》』と略称）一巻を撰述し、全部合わせて五部九巻《ごぶくかん》と呼びならされています。これらの文がこの和讃において縦横に詠われます。

この中「玄義分」の始めの「帰三宝偈《きさんぼう》」は、真宗儀式としても重用せられる所ですし『法事讃』の始めには次のように「和讃」の語が出て、祖聖が着目されたか否かも考えてみるのです。

凡そ自らの為を欲し、他の為を欲し、道場を立せん者は、先ず須《すべか》らく堂舎を厳飾《ごんじき》して尊像幡《ばん》華《げ》を安置すべし。竟《おわ》りて衆等多少を問うこと無く、尽く洗浴して浄衣を著し、道場に入りて法を聴かしめよ。若し召請《ちょうしょう》せんと欲する人、及び和讃の者尽く立ち、大衆は坐せしむ。一人をして先ず須らく焼香散華《さんげ》せしむべし。周帀一徧竟《しゅうそういっぺんおわ》りて、然る後、法に依りて声を作《な》して召請して云へ。

とある所、念仏三昧道場の勤式の中における「和讃の者」の内容と資格はどうあったのでしょうか。祖聖御製作の「和讃」とはもとより同名異義ではありましょうが、同調の所を感じとりたいわけです。

第四行の左訓は「『観経』の義疏《ぎしょ》作らんとて、十方諸仏に証を請《こ》いたまいたり」とありまして、十方諸仏に証人になりたまえと招請する自信（自力の自信ではなく、信ぜられている自身の充実）と敬虔《けいけん》な態度を示すものです。「散善義」の終りの、世に聞こえた一文ですから掲げます。

敬って一切有縁《うえん》の知識等にもうさく、余既に是れ生死の凡夫にして智慧浅短なり。乃至某今此の観経の要義を出して古今を楷定《かいじょう》せんと欲す。若し三世諸仏、釈迦仏、阿弥陀仏等、大悲の願意に称《かな》わば、願くは夢中において上の所願の如き一切境界諸相を見ることを得しめたまえ。乃至毎夜夢中に常に一僧有りて来り玄義の科文《かもん》を指授せり。

ここに感銘して第一首が成っています。

阿弥陀仏の海のような広大なお心が形を現して、善導和尚という尊い姿を示されました。和尚は末法五濁悪世の迷い悩む者を救わんために、大悲の願意にかないたく、十方の諸仏に証人とならせたまえと請い求めました。諸仏が和尚の誠意に応同して、一僧となって指授するとは、仏々相念の気品ある宗教的事実と仰ぎます。

2　よよに善導いでたまひ
　法照《ほっしょう》 少康《しょうこう》としめしつつ
　功徳蔵《くどくぞう》をひらきてぞ
　諸仏の本意とげたまふ

第三行の左訓は「名号を功徳蔵と申すなり。よろずの善根を集めたるによりてなり」とあり、功徳善根のくらを名号というのです。「讃阿弥陀仏偈和讃」第四十三首には功徳蔵に帰命せよと、弥陀の別号となっています。

法照は唐代の人。『五会《ごえ》法事讃』を著わし、念仏を音曲にのせて流布し、善導の後身《こうしん》とも後善《ごぜん》導《どう》とも称して敬われます。

万行の中に急要と為す、迅速《じんそく》なること浄土門に過ぎたるは無し、但本師金口《ほんじこんく》の説のみにあらず、十方の諸仏共に伝え証したもう。

とか、

此の界に一人仏の名を念ずれば、西方に便ち一蓮有りて生ず、但一生常にして不退ならしむれば、此の華還りて此の間に到りて迎う。

のようなよく聞こえた諸文が、「行文類」をかざっています。

少康は唐代の人。善導の西方化導の文によって浄土門に入り、小児を誘って念仏せしめ、人びとは少康を見ると直ちに念仏するようになったと伝えます。後善導と称揚します。

善導和尚はその没後も何度もこの世に出られ、あるときには法照禅師として現れ、またあるときは少康法師として、善導のなお生きてあることを示し、功徳の蔵を開いて名号を称する声をわかしめ、十方諸仏の心からなる願いを果たしとげたのであります。

3

弥陀の名願《みょうがん》によらざれば
百千万劫《まんごう》すぐれども
いつつのさわり(は)はなれねば
女身をいかでか転ずべき

弥陀ご自身のわが名を称えよとの本願にいちずによりかかるのでなければ、たとえはかり知れない長歳月をかけても、五つの障《さわ》りという、梵天王《ぼんてんのう》・帝釈天《たいしゃくてん》・第六天の魔王・転輪聖王《てんりんじょうおう》・仏に成ることの不可能性を持つからして、女性の身をどのように転化して、仏と成らしめることができましょうぞ。

先の「大経意和讃」第十首の「女人成仏」と、共通点を持つかの如く見えながらも、今一つはっきりせず、ただともに『法華経』がかかわる所が問題を残します。この和讃は『観念法門』の、

又一切の女人、若し弥陀の名願力に因らざれば、千劫万劫恒河沙《ごうがしゃ》等の劫にも、終に女身を転ずることを得べからず

の上に、やはり「提婆達多《だいばだった》品」の「五障」の一点を加えて成立するものです。この五つの障りについては、支配者となることは人間性の喪失につながるし、仏に成ることがここに並ぶことは、疑問を持たざるを得ません。

女人成仏について、わたくしにはひそかな思念があります。男子と女人とに別立されますが、他者たすかれと精魂を傾ける菩薩こそ男子と呼ばるべきであって、自己の都合のために他者を利用する卑怯未練のものどもは、男も女も非菩薩的人間として女性であると見たいのです。男も女も弱さを自性とするものでありながら、強がることばかりを醜く露呈します。弱さの本来性にめざめるとき、はじめて求道につながります。菩薩は他の弱さを責めるのではなく、本当にともに悲しむことができるのです。弥陀の名願により念仏申しておりますと、はてしなき思念に誘われてゆきます。

4
釈迦は要門《ようもん》ひらきつつ
定散諸機《じょうさんしょき》をあわれみて（こしらへ）
正雑《しょうぞう》二行方便し
ひとえ（へ）に専修《せんじゅ》をすすめしむ

第三行の左訓は「五種の正行、五種の雑行なり。五の正行というは、礼拝・読誦《どくじゅ》・観察・称名・讃嘆供養《さんだんくよう》。六種というときは、讃嘆と供養を二つにするなり」です。

釈尊は浄土へ引入せしめるために、『観経』の中に浄土へのかなめの門を開かれたのです。それは定善や散善に励む人たちへの、あつい思いやりなのです。それで誘引するために手だてを構じるのです。それは正行と雑行との二つの行の指南です。読誦・観察・礼拝・称名・讃嘆供養の五つが正行で、これらを除いた以外を雑行とします。浄土の経を読誦し、阿弥陀仏とその浄土を憶念観察し、阿弥陀仏を礼拝し、弥陀の名号を称え、ほめたたえつつしみうやまう、の五つですが、その中でも第四の称名念仏に専心することを、一向専修としておすすめになります。

「定散諸機」について、すでに「大経意和讃」第十二首に、

観経一部にあらわして
定散諸機をすすめけり

とある、この「機」に「はたもの」の左訓が見えます。これを「はたおり」と受け取りますと、千古不易の経法のたて糸に対し、ここにあるこの機がよこ糸となって、はたおりものが成し就げられるという、生きた譬えとなります。機がなければ法は成就しません。法の力を蒙らなければ、機そのものが空しく崩れてゆきます。

5　助正《じょしょう》ならべて修するおば（を）

すなわち雑修《ざっしゅ》となづけたり
一心を(は)えざるひとなれば
仏恩報ずるこころなし

第一行の左訓は「弥陀一仏のことを修するを正行という。余仏余善をするを雑行という」です。第二行は「五つの正行《しょうぎょう》の中、称名のほか四をば助業《じょごう》にす。ただ一心に称名するを一向専修と申すなり」です。余仏余善を離れて弥陀一仏に向かうのが五正行で、その中称名だけが正定業であり、他の四は助業と呼ばれます。

助正ならべるとは、五正行の中、正定業たる称名だけで足りているのだが、そこにもの足りなさを感じて、手助けとなる助業を並列的につとめようとすることです。このようにするのは誠意を尽くすように見えるけれども、真の称名の態度ではないから、専修称名に対して雑修と名づけます。この雑修の人は、廻向の信心すなわち二心のない一心を得ていない人であるから、仏恩に報いようという心がおこってきません。仏恩に報ずることは、仏の外から自力の何かを加えることではなく、一心の信心が感動したものですから、仏恩に報いる心が自らわきおこらなければ、わが信心は怪しいものと見なければなりません。

6　仏号むねと修すれども
現世《げんぜ》をいのる行者おば(を)

これも雑修《ざっしゅ》となづけてぞ
千中无一《せんちゅうむいち》ときらはるる

第四行の左訓は「千が中に一人も生まれずとなり。懐感《えかん》禅師の釈には、万不一生と釈せられたり」です。『往生礼讃』に、

雑を修し、至心ならざれば、千が中に一つも無し。

とある所です。懐感禅師の『釈浄土群疑論《ぐんぎろん》』巻四には、善導禅師の言葉として、

雑修の者は、万に一人も生まれず、専修の人は、千に一人の失無し。

とあります。

弥陀の名号をわき目もふらず称えていても、その称名によって現世の幸福を祈る思いのある念仏行者は、前の助正並修と同じく雑修と名づけて、そのような称え方では千人の中一人も浄土に生まれることはできないと、善導大師はきらい排除されます。

念仏することがそのまま往生の道であり、念仏は如来の願いであると聞きつつも、そこに現世の祈りをこめずにおれないのは、自力の執心の根深さによります。「本願の嘉号《かごう》を以て己《おのれ》が善根《ぜんごん》とする」との執情は、離れ難いものがあります。現世を祈る延長線上に浄土を妄想することになります。しかも念仏しつつあれば、現世を祈ることが虚仮であったと知られてきます。そこには長い手間がかかります。現世の祈りに通じないような念仏ならば無用であるとの短兵急なる人があっても、ゆるやかになだめて、念仏の人は人間の思いを超えて最高の位置に立たしめられるこ

とを、よく語らねばなりません。現世は浄土より照らされて初めて意味をもちます。

7　こころはひとつにあらねども
雑行雑修《ぞうぎょうざっしゅ》これにたり
浄土の行にあらぬお（を）ば
ひとえ（へ）に雑修（行）となづけしむ（たり）

第二行の左訓は「雑行はよろずの行。雑修は現世を祈り、助業を修するをいうなり」です。五正行以外の雑行と、念仏しつつ現世を祈ったり、正定業の外に助業を修するような雑修との二つは、意味内容は一つではないけれども、両方とも浄土の行ではないという点で、よく似かよってもいますので、雑行雑修といって真宗のきびしくしりぞける所であります。第四行は「雑修」と「雑行」と二様あることによって、字数の関係上いずれを採用するのが適切であろうかと、苦心された跡がよく見えます。両本の対照はこのような意味を持ちます。

8　善導大師証をこい
定散《じょうさん》二心をひるがへし
貪瞋《とんじん》二河《にが》の譬喩《ひゆ》をとき
弘願の信心守護《しゅご》せしむ

第一行の左訓は「十方諸仏に申したまわく、この観経義を作り候に、証人になりたまえと祈らせたまいたり」です。すでに第一首第四行の左訓にこの趣は見えております。第三行の左訓は「貪は女《め》を愛し男を愛し、瞋は怒り腹立つ」です。貪欲は、むさぼり、はてしなき物への欲望ですが、ここではその中の淫欲が出ています。浄化せられざる男女の欲愛だけでは身を亡します。第四行は「守はたとえば国の主となりて守る。護は国の主ならねども、すべて集りて護るなり」です。

善導大師は、十方の諸仏に請うて『観経疏』製作の過ちなきようの証人たらんことを懇願し、定善散善によりかかって仏果を得ようとする人びとに、誘引してその不可能を知らしめ、その挫折によって定散二心をひるがえし転向して他力の信に帰するよう、二河白道《びゃくどう》のたとえ、すなわち退くも死、とどまるも死、すすむも死、この三定死《さんじょうし》に追いつめられた行者が、こちらにつかわす釈迦の声、かしこに喚《よ》びたもう弥陀の声に励まされ、貪欲の水の河瞋恚の火の河に責められる、その中間に白じろと開ける白道を進んでいく光景を、弘願の信心にたとえます。

弘願の信心の人こそ護られます。

東の岸にたちまちに人の勧むる声を聞く。仁者《きみ》ただ決定してこの道を尋ねて行け、必ず死の難なけん。もし住《とど》まらばすなわち死せんと。また西の岸の上に人ありて喚《よ》ぼうて言わく、汝一心正念にして直ちに来《きた》れ、我よく汝を護らん。すべて水火の難に堕せんことを畏れざれ。と。一心正念は信じて称うる人です。釈迦が南無せよと遣わし、阿弥陀仏が招喚《しょうかん》する事実です。

「直ちに来れ」と言われて、こちらから歩む形で説かれていますけれども、実は向こうから呼びかけてこちらへきたりたもうのです。「護る」とは、外部からまもるというよりも、行者の信じて称うること自体が行者を護っているのです。信心が守護されるというよりも、信心自身が行者を守護するのです。このわが身をたすけまもるものは、わたくし自身であって外にはないと、よく申しますが、自我のわたくしは真実にはまもりません。まもるのは信心だけです。

「散善義」に説かれる二河譬《ひ》として広く知られる所ですが、たとえというよりも大師の信心そのものだと思います。信心は山の頂上に涼しく遊んでいるものでなくして、火に焼かれ濁水をぶっかけられつつ、しかもわが道を往くというものです。水と火はたまたまあるものでなく、常に水火二河におびやかされている現実相なればこそ、信心を必要とするのです。信心なくして生きるということはあり得ないのです。大師の、

　衆生貪瞋煩悩の中にあって、能く清浄の願往生心を生ずる。

との言葉は、この辺の消息を言い尽くしております。

9

経道滅尽《きょうどうめつじん》ときいたり
如来出世《しゅっせ》の本意なる
(弘)本願真宗にあひぬれば
凡夫念じてさとるなり

第二行の左訓は「仏法滅尽時到り。末法万年の間はただ権教《ごんきょう》ありて、実教なし。万年ののち、百年弥陀の教ましますべし」であり、第三行は「まことをむねとす。仮に対して真という。八万四千の法門は仮門とす。浄土一宗を真門とす」です。

正法五百年像法千年末法万年が過ぎ、仏法滅亡の時が来て、百年だけ弥陀の教えがとどまると説かれるが、釈尊がこの世にいでました本来の意味である所の、弥陀の本願をただ一つの真実としてよりかかれとの教えに遇い信ずることができるならば、凡夫われらにいたるまでが信の一念によっておたすけを得ることができるのです。

「本願真宗」について、ともに大切な用語を熟字せられたものですが、第十九首にも「真宗念仏」と出まして、本願念仏こそまことの門を開いた究極のよりどころということでありましょうか。「文類偈」には、

深く本願に藉《よ》りて真宗を興す。

と、本願があるから真宗があり、真宗があるからわれらのおたすけがあり、『入出二門偈頌』には、

善導和尚義解《ぎげ》していわく、念仏成仏是れ真宗なり。

とあって、本願が念仏となってわれらを仏たらしめることがわれらの救いであり、これが天にも地にもかえ難い真宗という呼称のゆえんです。

10
仏法力の不思議には
諸邪業繋《しょじゃごうけ》さわ《(は)》らねば
弥陀の本弘誓願《ほんぐせいがん》を
増上縁となづけたり

第四行の左訓は「よろずの善にまさされるによりて増上縁というなり」です。増はまさることで、強い縁となって他を助長することです。

仏法力の不思議なはたらきとしての本願力は、いかなる邪悪の業の繋縛《けばく》をも障りとはしないのですから、弥陀の本願弘誓を、すべての善に勝るほどの勝れた強い縁と名づけるのであります。

11
願力成就の報土には
自力の心行いたらねば
大小聖人みなながら
如来の弘誓に乗ずべし

第三行の左訓は「大乗の聖人、小乗の聖人」です。大乗の聖人は初歓喜地《しょかんぎじ》以上の菩薩、小乗の聖人は阿羅漢果《あらかんか》ということです。

弥陀の本願力が開き現した真実報土には、自力の菩提心と六度万行によりては至り届くことができないですから、大乗の聖人も小乗の聖人もみなながら、自力の立場をひるがえして、弥陀の弘誓に乗託しおまかせして、報土往生を遂げるべきであります。

12

煩悩具足と信知して
本願力に乗ずれば
すなはち穢身《えしん》すてはてて
法性常楽証せしむ

煩悩よりほかに持ちもののない、煩悩具足の身であると知って、その煩悩をきらわず手をさしのべたもう本願他力に乗じ信ずるならば、即座に煩悩に汚れた身をのこらず捨て切って、煩悩の楽しみでない真の楽しみ常なる涅槃をさとらしめられるのです。

「信知」は自己の罪障を知り、願力を信ずると解するのですが、あるいは信と知とは一つの意味とも読めます。信ずることによって始めて知る、信ずることのない知り方は空疎です。「義なきを義とすと信知せり」の信知が大きな意味を持つことが、対照として思われます。さらに『一念多念文意』の『浄土論』の観と遇についての独自の知見をここに引いて、思いめぐらします。

観は願力をこころにうかべみるともうす、また知るというこころなり。遇はもうあうという、もうあうともうすは、本願力を信ずるなり。乃至 金剛心のひとは、しらずもとめざるに、功徳の大宝その身にみちみつがゆえに、大宝海とたとえるなり。

と。

「煩悩具足」について、先の第八首とも関りを持ちますが、日夜忘れることのできない、感銘深く刻まれている『一念多念文意』の一文を掲げます。

凡夫というは、无明煩悩われらが身にみちみちて、欲もおおく、いかり・はらだち・そねみ・ねたむこころおおくひまなくして、臨終の一念にいたるまでとどまらず、きえず、たえずと、水火二河のたとえにあらわれたり。乃至 諸仏出世の直説、如来成道の素懐は、凡夫は弥陀の本願を念ぜしめて、即生するをむねとすべしとなり。

と。今の和讃を返照して、ともに威勢を高めます。

13

釈迦弥陀は慈悲の父母
種々に善巧《ぜんぎょう》方便して
われらが无上の信心を
発起《ほっき》せしめたまひけり

『般舟讃《はんじゅさん》』の文によります。第四行の左訓は「ひらきおこす、たちおこす。昔よりありしことをおこすを発という。今始めておこすを起という」です。

釈尊と阿弥陀仏は、慈悲心のゆたかなる父母のようです。われらの心にそうて、いろいろ巧みな手を尽くし、こうすれば気づくか、ああすれば分かるかと温く導いて、如来廻向のこの上もない信心をおこさしめられたのであります。信心は廻向でありつつ、如来の方からは、今始めてのよろこびであるのだが、昔からあったかのように見て、少しもご自身のてがらとはされないのです。ほどこしつつそのてがらとされないのが、慈悲というものです。

14

真心徹到《しんじんてっとう》するひとは
金剛の心なりければ
三品《さんぼん》の懺悔《さんげ》するもの《（ひと）》と
ひとしと宗師《しゅうし》はのたまへり

『往生礼讃《おうじょうらいさん》』の文によります。第一行の左訓は「とおり、いたる。髄《ずい》に到り徹る」、第二行は「まことの信心なり」、第三行は「上品は眼《まなこ》より血を流し、身より血をいだす。中品は眼より血を流し、身より汗を流す。下品は涙を流し、髄に心が徹るをいう」です。ただ今の「髄」について、原字は「スイ」とも「スク」とも読めますので「直《すぐ》に」とも解されて、この方がよくわかるようです。しかし他の筆跡と較べ合わせますと、「スイ」と書かれたようです。

如来の真実心が、わが骨の髄までいたりとおった人は、もう我執の骨も砕け散り、金剛堅固のまことの信心の人ですから、三種類の自力の聖者たちの三様のさんげできる方々と等しく、さんげの徳が廻向されると善導大師は述べられます。

さんげは罪業に気づきこれを悔いてゆるしを請うために、仏前等に告白することです。『往生礼讃』には「南無懺悔十方仏　願滅一切諸罪根」、『般舟讃』には「念念時中常懺悔」「念念称名常懺悔」など見えまして、どれほどさんげを重んじられたかよく知られます。祖聖は大師に同調しつつも、あまり強く出されないのは、さんげせよと言われてもさんげできない身の在り方を、噛みしめていられたのではないかと推究します。さんげできないことの深いさんげであったと思います。さんげしようと思って称えるのではなく、南无阿弥陀仏をとなえていると、それが自らさんげになっていたということです。廻心懺悔が如来廻向に応える道ですから、懺悔なくして廻心はあり得ませんが、さんげを必要条件とみることはできません。

この「懺悔」の読み方ですが、いつしかざんげと慣用化され、仏教ではさんげと読むなどと但し書きをつけたりしますが、ざんげとなったときは後悔との区別がつかなくなっているようです。後悔はめめしい我執の意地から出るものですが、さんげは我執の破れ去った所、どうしようもない自己をさらけ出しているのです。ざんげと発音しますと、慚愧《ざんぎ》と紛《まが》う場合がおこります。これは恥ずかしいということで、人が人であることの必須条件です。ところが祖聖は「無《む》慚《ざん》無《む》愧《ぎ》のこの身」と称して、慚愧の徹底境にお立ちになります。これに返照してさんげの深さも味識できると思います。

15　五濁悪世のわれらこそ
金剛の信心ばかりにて
ながく生死をすてはてて

自然の浄土にいたるなれ

「序分義」には、

金剛の志を発するに非ざるよりは、永く生死の元を絶たんや。

と見えます。「玄義分」には、

生死甚難厭《じんなんえん》、共発《ぐほつ》金剛志

と出ています。

五濁悪世に生を受けたわれらとしてはどのような道があるか、ただ一つ恵まれた金剛堅固の信心ばかりによりかかって、永劫に生死流転のきずなを断ち切って、弥陀の誓願に報うて現われた無為自然の浄土に生まれるほかないのです。

自然というのは、人間の思いを超えてそうならしめられてそうなっていることで、われらの業道自然は願力自然によりて転ぜられて無為自然にいたるのです。無為は自力の作為を加えない、存在の真のありようです。大師はこの娑婆を無為自然に背く不自然なものと痛感し、厭いつつ厭えない魔境とわきまえ、無為自然の浄土をそこに帰るべき故郷として思念されたのです。

「生死」について、「恵信尼文書」に「生死出づべき道」という言葉を見いだすことによって、祖聖が叡山より吉水に至るまで一貫して求められたものは、生死出づべき道の追究であったことが知られます。生死を超断することは自己の実存に関ることで、山の二十年の歳月による形式的表彰をもって代えることができないと、自認されたところが、名利を下に見おろす大きさであったと思います。生死が超えられないと自知された所に、すでに涅槃が呼んでいたのでしょう。

16

金剛堅固《けんご》の信心の
さだまるときをまちえてぞ
弥陀の心光摂護《しょうご》して
ながく生死をへだてけれ（る）

第一行の左訓は「しんのかたきを堅という。こころのかたきを固というなり」です。この「しん」は、弱そうに見えてしんは強いというのと同じで、本性の堅さをいうのでしょうか。第三行は「无㝵光如来のおんこころにおさめまもりたもうなり」です。

『観念法門』に、

　但だ阿弥陀仏を専念する衆生有りて、彼の仏心の光常に是の人を照らして、摂護して捨てたまわず。

と見えます。

ダイヤモンドのようになにものにも砕けない堅固そのものの信心が、時至って決定するのをよくしろしめして、寸刻を待たず弥陀の慈悲心の光は、この信心の人を照らし摂め護って、永劫に生死の迷いからへだてられるのです。

17 真実信心えざるお《(を)》ば
一心かけぬとおしえ《(へ)》たり
一心かけたるひとはみな
三信具《ぐ》せずとおもふべし

如来廻向の真実信心がはっきりしないのは、二心なく一心に浄土往生を願うその一心がないからだと、大師は教えていられます。この一心がかけているのは、第十八願の至心信楽欲生の三信が具わっていないからである、と思わねばなりません。

しかしこの一首の依り所とされる『往生礼讃』をたどりますと、そのままとは言いきれないのです。これに依りますと、『観経』に説くように三心を具すれば必ず往生を得る、その三心とは至誠心・深心・廻向発願心であって、

此の三心を具すれば必ず生ずることを得るなり。もし一心もかけぬれば即ち生ずることを得ず。

とあるのですから、「一心かけぬ」というのは『観経』の三心の一つでも欠くならば往生できない、ということになるのですから、二心なき一心ということにはなりません。

更に『大経』と『観経』とが相補しますのは『唯信鈔文意』です。

一心かくるというは信心のかくるなり。信心かくるというは、本願真実の三信心のかくるなり。『観経』の三心をえて後に、『大経』の三信心をうるを一心をうるとはいうなり。この故

に『大経』の三心を得ざるをば、一心かくるというなり。
と。『観経』の三心釈を通して、自力の限界にめざめ、『大経』の三信が深い心であることを知るのです。この本願の三信の廻向によって、われらの一心の受け入れができるのです。その一つを示すならば、「信文類」の、
信楽即ち是一心なり、一心即ち是れ真実信心なり。
が、この一首と結ぶものでしょうか。

18　利他の信楽《しんぎょう》うるひとは
　　願に相応《そうおう》するゆへに
　　教と仏語にしたがへば
　　外の雑縁《ぞうえん》さらになし

『往生礼讃』の文によります。

もし能く上の如く念々相続して畢命《ひつみょう》を期《ご》とする者は、十即十生百即百生なり。何を以ってのの故に、外の雑縁無くして正念を得たるが故に。仏の本願と相応を得るが故に。教に違せざるが故に。仏語に随順するが故なり。

との専修の四得です。

他を利する他力廻向の信心を得る人は、仏の本願とすきまなくぴったりとあいかなうから、更

に釈尊の教えと諸仏のこれをほめたたえる言葉によく従いますから、外からどんな雑物が乱すことがあっても、それにさまたげられることなく正念をたもちます。

19　真宗念仏ききえつつ
　一念无疑《むぎ》なるをこそ
　希有《けう》最勝人とほめ
　正念をうとはさだめたれ

第二行の左訓は「一念も疑いなきを。本願を疑うこころなしとなり」、第三行は「最は最も殊に勝れたり。有難く勝れたるよき人とほむるこころなり」、第四行は「往生の信心あるを正念を得とは言う」です。念仏の人について「散善義」に、

人中の希有人なり、人中の最勝人なり。

と見えます。

浄土真宗の本願念仏のいわれをしっかりと聞き取ることができて、ただ一念のすくいによって一念の疑心もなくなった人を、めったにないがたまたまある人、あるいは最も勝れた人とほめたたえ、最も勝れた正業たる南无阿弥陀仏になりきっていると、大師は断定されたのです。

「正念」について「行文類」には、

称名は則ち是れ最勝真妙の正業《しょうごう》なり、正業は則ち是れ念仏なり、念仏は則ち是れ南无阿弥陀

仏なり、南无阿弥陀仏は即ち是れ正念なり。

とありまして、圧倒され帰伏するばかりですが、これと和讃の最勝人と正念との関りに想到します。もとより最勝人は妙好人の一つの形容でありますが、万人に普く開放された「最勝真妙の正業」こそ貴重なのであって、特定の人の禅的かに見える言動を鏡としてほめそやす傾向は、祖聖のどこに説かれているものであるのかと、疑問を感じます。「真実の信楽実《まこと》に獲《う》ること難し」を常に離れず、「難信金剛の信楽」とご自身の信心を表現されましたように、ここから出ているものが希有最勝ですから、「人」の内容が大切だと思います。『入出二門偈頌』には、

煩悩を具足せる凡夫人、仏の願力に由りて信を獲得す。斯の人は即ち凡数《ぼんしゅ》の摂に非ず、是れ人中の分陀利華《ふんだりけ》なり。斯の信は最勝希有人、斯の信は妙好上上人なり。

と、信心の人は凡夫を超えますが、同時に命終るまで煩悩具足の凡夫であることを忘れてはならないと思います。

20　本願相応せざるゆへ
雑縁《ぞうえん》きたりみだるなり
信心乱失するをこそ
正念うすとはのべたまへ

『往生礼讃』の文によるのですが、先の第十八首の専修の四得に対する雑修の十三失です。

もし専を捨てて雑業を修せんと欲わん者は、百は時に希に一二を得《え》、千は時に希に三五を得《う》る。何を以っての故に、乃《いま》し雑縁乱動して正念を失するに由るが故に。仏の本願と相応せざるが故に。

とある所です。

雑修の人は、本願といっても自己流につくりなしたものであるから、本願の意向にあいかなうものでなく、本願によって立つ自立がないので、いろいろのさまたげがやってきますと、信心であるかのように見えたものが、乱れ動いてゆきます。かくて信心が乱動し失われてゆくのを、大師は本願の念仏を失った人であると、お述べになっています。

祖聖においては、

ひとびとにすかされさせたまわで、御信心たじろかせたまわずして、をのをの御往生候べきなり。

とか、

信心みな浮かれおうておわしまし候なること、かえすがえすあわれにかなしゅうおぼえ候。

などと、お手紙にしたためていられますから、折角信心の周辺にまで近づいていても、正念に住することのないのを、哀愍の情をもって痛心されたことがよく知られます。

21　信は願より生ずれば

念仏成仏自然なり
自然はすなわち報土なり
証大涅槃《しょうだいねはん》うた《(は)》がはず

第一行の左訓は「われら衆生の信は、弥陀の願よりおこるなり」との堂々たる本願真宗の宣言です。本願に目覚めた感動こそわれらの信です。

ただ如来の至心信楽をふかくたのむべし。(『尊号真像銘文』)

です。如来が衆生を信じ愛し敬う心の、衆生に映ったものです。衆生の微々たるねがいを大きく包んだ、底からの一切の志願が弥陀の願です。

第三行は『法事讃《ほうじさん》』や『般舟讃』の、

自然は即ちこれ弥陀の国なり。

をおさえています。

「自然」といえば、真宗人に去来してやまないのは、顕智上人書写の、

弥陀仏の御ちかいの、もとより行者のはからいにあらずして、南无阿弥陀（仏の字がない）とたのませたまいて、むかえんとはからわせたまいたるによりて、行者の善からんとも、悪しからんともおもわぬを、自然とはもうすぞときて候。

とあるものです。行者の自力のはからいがすたれて、南无阿弥陀仏になりきったところが自然です。

弥陀の本願に救われ、われら衆生の業道自然が転ぜられて信心成就するのであるから、本願の仰せのまま念仏し、仏に念ぜられて無為自然として仏に成るのは、願力自然として自ら然らしめられて、少しの無理もない往生によるのです。この作為のない無為自然はどこに成就するかといえば、願力成就の報土です。この報土に往生するならば、自然にこの上なき尊い涅槃をさとること、一点の疑いもないのです。凡夫往生だからとて低級なさとりではなく、大涅槃であること、まさしく願からおこるからです。

22

五濁増《ぞう》のときいたり
疑謗《ぎほう》のともがらおほくして
道俗ともにあひきらい(ひ)
修するをみてはあだをなす

第二十四首まで『法事讃』の文によります。ここは、

五濁増《まさ》る時疑謗多し。道俗相嫌《きら》いて聞くことを用いず。修行する有るを見ては瞋毒《しんどく》を起こす。
方便破壊《はえ》して競《きそ》うて怨《あだ》を生ず。

に当ります。

五濁がいやまさる時がやってきて、本願のはたらきを疑うだけでなくこれを悪くいうものが多くなり、出家のものも在家のものもお互いにきらいあって、真実の教を聞こうともせず、むしろ

念仏修行に励むものを見ると、いかりの毒をふきかけて、あだかたきのようにこれを破ろうとするのです。大悲本願に背く痛恨がにじみでています。

ここには雑修十三失の中の第十二、

人我自ら覆《おお》い、同行善知識に親近《しんごん》せず。

とある所も動いていたと思います。「伴同法にねんごろにあれ」と念じ続けていられたからであります。

更に著名すぎるほどの、

主上臣下、法に背き義に違し、忿《いかり》を成し怨《うらみ》を結ぶ。

も、底流していたと思います。『大経』には「忿成怨結《ふんじょうおんけつ》」とあるものが倒置までされていますから、よくよくの痛恨がこめられているわけです。

23　本願毀滅《きめつ》のともがらは
生盲闡提《しょうもうせんだい》となづけたり
大地微塵劫《だいじみじんごう》をへて
ながく三塗《さんず》にしづむなり

『法事讃』の、

かくの如きの生盲闡提の輩は、頓教《とんぎょう》を毀滅して永く沈淪《ちんりん》す。大地微塵劫を超過するも、いまだ三塗の身を離るることを得べからず。

とあるままです。

左訓の第一行は「そしる、ほろぼす。謗《そし》るにとりても、わがする法はまさり、またひとのする法は賤しというを、毀滅というなり」、第二行は「生盲は生まるるよりめしいたるをいう。仏法にすべて信なきを闡提というなり」、第三行は「こまかなるちり。兎の毛のまん先にい、羊の毛のまん先にもいる塵を微塵という。兎・羊の毛より細きものなし。（なお上欄に付記した形で）兎毛塵《ともうじん》、兎の毛。羊毛塵、羊の毛」と見えます。

「闡提」は梵語、イッチャーンティカの漢訳です。輪廻《りんね》の有《う》を楽求《ぎょうぐ》する者、現世の永続を楽う現世主義者、仏を信ずることを拒否する者の意味です。『涅槃経』第二十六には、

一闡を信と名づけ、提を不具と名づく、信を具せざるが故に、一闡提《いちせんだい》と名づく。

とあり、一闡提ならば直訳として通じますが、この「一」がはぶかれて「闡提」として定着したのです。この経では一切衆生悉有仏性の中にあって、闡提不成仏が説かれ、これがいつしか闡提成仏として転化されるところに、浄土教への影響として大きいものがあります。「唯除五逆誹謗正法」の一句に大悲性を仰ぐ領解をもたらすについて、この経の闡提成仏が底力を与えます。ただしこの一首においては、仏法にあだなすだけの意味内容です。よって生盲の意味も、仏法への眼を開こうとしない闡提をその点においてのみたとえたもので、大悲の心に立つことなくして軽軽しく用いないように留意すべきだと思います。

この闡提をどうにもならないと知るがゆえにかえって、どうにかせずにおれないとの大悲を興さずにおれなかったのです。『教行証文類』「総序」には、

斯れ乃ち権化《ごんけ》の仁《にん》、斉《ひと》しく苦悩の群萠《ぐんもう》を救済《くさい》し、世雄《せおう》の悲、正しく逆謗闡提を恵まんと欲《おぼ》してなり。

との悲喜を織り成した名文がありまして、闡提と聞けば必ずここが大波のようにおしよせます。逆謗と離れずに、しかも闡提を恵むと聞けば、『教行証』は「本願がどのような順序をたどって闡提を恵むかのすじみちを説いた論書」とさえ呼ぶことができます。祖聖は阿闍世《あじゃせ》を外に見ない真実者であられましたから、逆害を興《おこ》した阿闍世がたすかることないならば、ご自身の救いもむなしいとの、真に立つべき底下として一切が転回します。

『浄土文類聚鈔』には、

惑染逆悪斉しく皆生じ、謗法闡提廻《え》すれば皆往く。

として、廻心さんげが力強い声を挙げます。悪かったから改めるということのできない深いさんげです。わが心はどのように手を加えても、われという泥池の中の変革に過ぎません。闡提の心は粉微塵《こなみじん》にくだきましても、善根のかけらも出ません。本願のはたらきとして、汝は闡提であると知らしめるのです。われは闡提なりと知ったことがひるがえりです。ひるがえらせる力をもつのは本願です。闡提を捨ておかないという大悲本願が身に沁みとおったのが廻心です。廻心そのものがさんげとなっているので、さんげを別につけ加えるのではないのです。さんげを独立とし

て見ますと、自己の納得できる形の気休めに終るか、表現だけ度のきつい、自己暗示に過ぎないものとなります。念仏者の中にはそういう感情的あやつりにおちいる人を時々見かけます。廻心のひるがえりは、深いもよおしによって転ぜられるもので、沈潜したところで静かにおこなわなければならないものなのです。

「三塗」とは三途《ず》とも書き、地獄・餓鬼・畜生の三悪道です。塗炭《とたん》の苦しみといって、泥にまみれ火に焼かれるような苦しい境遇を語ります。

本願にめざめることによって救われるものであるのに、自分の城に立てこもっておろかにも本願を悪く言いほろぼそうとするものどもは、土石のような無仏性・無信の徒としか言いようがなく、今後無限の歳月、たとえてみればこのわれらの住む大地を、兎の毛や羊の毛の先（これほど細いものはない）にいる塵ほどに、こなごなに砕いたその数だけの微塵の劫数のあらん限り、三悪道に落ち沈んで、そこから逃れることができません。

この三悪道に沈むというのは、因果必然として審判を下そうとするのでなく、因果をくらますことなくして、しかも因果に落ちないで超えしめようとする、救済の手だてが背面に構えられているのです。三悪道に落ちるものは三悪道の恐ろしさを知らないのです。しかも三悪道は仏法の外に在るものではなくして、如来の哀愍の中に在ります。阿闍世王の信心が、地獄に在る苦民を救いたいと立ち上った所を想起したいものです。

浄土の光は三塗を照らします。「讃阿弥陀仏偈和讃」第六首、

仏光照耀《しょうよう》最第一
光炎王仏《こうえんのう》となづけたり
三塗の黒闇ひらくなり
大応供に帰命せよ

第四十四首、

三塗苦難ながくとぢ
但有《たんぬ》自然快楽音《けらくおん》
このゆへ安楽となづけたり
无極尊《むごくそん》に帰命せよ

とあるを誦唱しますと、南无は帰命ですから、南无阿弥陀仏と称える中に三悪道のくらがりが明るく開かれていきます。このような背景あればこそこの和讃も読めるのでありまして、これだけでは悲痛にして耐え難いことです。

24

西路を指授《しじゅ》せしかども
自障《じしょう》障多《しょうた》せしほどに
曠劫《こうごう》以来もいたづらに
むなしくこそはすぎにけれ

「化身土文類」引用の『法事讃』、

劫尽きんと欲する時五濁盛《さかり》なり。衆生邪見にして甚だ信じ難し。専《せん》にして専なれと指授して西路に帰せしめしに、他の為に破壊せられて還《かえ》りて故の如し。曠劫より已来《このかた》常に此の如し。是れ今生に始めて自ら悟るに非ず。正しく好強縁《よきごうえん》に遇わざるに由りて、輪回《りんね》して得度し難から使むることを致す。

とある文によります。

左訓は第一行「にしのみち、教え授けしかども」、第二行「わが身を障《さ》うるを自障という。人を障うるを障他というなり」、第三行「はるかなるよりこのかたというなり」です。

西方に浄土あり、よって西に通じる路をまっしぐらに進めと、方向を指し示し教えられていたにもかかわらず、自ら妨げて如来のお言葉を聞こうとはせず、その上他人にまで本願を謗って浄土往生を妨げてきたばっかりに、久遠劫のいにしえから今日に至るまで、いのちの実《みの》りもなくて空過し、生死流転をへめぐってしまったのです。

「自障障他」は気づくことなく過ぎるのですが、なにものにも妨げられるもののない无㝵光に照らされて浮びあがります。これはわれらの歩みに待ったをかける戒告です。子に向かって「人に迷惑をかけないように生きよ」とさとす親があるが、お互いに知らずして迷惑をかけ合っているのでないでしょうか。自分が念仏ぎらいだからといって、他の念仏まできらうのは、それこそ自障障他です。西路を開くのに、自分の存在が邪魔迷惑になっていると知ることは恐ろしいことです。人と人とがたすけ合うなどといいますが、他をして浄土往生せしめてこそ親友と呼ぶことができます。空過する人生を励まし合うことは、自障障他の罪はかり知れないものがあります。法の耳さえ開くならば、本願の念仏の声が満ちあふれているにもかかわらず楽しみつつ空過するのは、如来の方からはやりきれないのです。宝の山に入って、手をからっぽで出るようだとたとえられる所です。

「むなしくこそはすぎにけれ」という痛恨すべき事実に立って、ちかいが立てられたのです。

「天親和讃」第三首、

本願力にあひぬれば
むなしくすぐるひとぞなき
功徳の宝海みちみちて
煩悩の濁水へだてなし

との「遇无空過者」は、空過者のまっただ中に立ちたもう本願力の崇高な姿です。

25

弘誓の力をかふらずは
いづれのときにか娑婆をいでむ(ん)
仏恩ふかくおもひつつ
つねに弥陀を念ずべし

今まで第一行「かぶらずば」と読み習うてきましたので、いつしかその発音に戻り易いのですが、教えられるままに「かふらずは」と濁点を取って読みます。

『般舟讃《はんじゅさん》』の、

或はいわく今《きょう》より仏果に至るまで、長劫《じょうごう》に仏を讃じて慈恩を報ぜん。弥陀の弘誓の力を蒙《こうむ》らずしては、いずれの時いずれの劫にか娑婆を出でん。

との文によります。弥陀願力の恩は、大師の言々句々に貫通しております。

弥陀の大きく包容摂取する本願力をこうむることとなくして、いつどのような時にこの煩悩の尽きない娑婆界を超え出でることができましょうぞ。弥陀願力の恩を深く長く思いめぐらして、常に弥陀に念ぜられつつ称名念仏するばかりであります。

「娑婆」については今の『般舟讃』にも「娑婆長劫の難」と見えるように、大師においては浄土に対面して真の在所ではないという深い思い入れがあったようです。「娑婆を厭捨して仏国を求めよ」というのが大師の本心でありますが、同時にこの娑婆の愛着が捨てられないことをよく知っていられたのです。娑婆は梵語のサハサー、又はシャバーの音写にて、忍・堪《かん》忍・能忍の意です。堪忍しなければ生きられない、娑婆は思うにまかせぬところといわれます。更に「聖者と共に」の意が加えられて、聖者もしいまさずば悪苦に焼かれて生きられないところと聞いております。

紫人と朱人とは長年にわたる親しい隣人。紫人の息男が事故死してその遺骸が帰り、これを弔問した朱人が合掌して「娑婆じゃの」と漏らしたのです。この一言が一切を言い尽くしているのです。悲しみのきわまりなのですが、娑婆の一語が救いをもたらしているのです。当てにならないものを当てにして生きることのむなしさがこみあげているのです。眼前の悲惨に戦慄しつつ、これが娑婆のならいと知る人は、驚きを内省せしめます。流れる雲に声あるように、

生死無常のことわり、くわしく如来の説きおかせおわしまして候へ、おどろきおぼしめすべからず候。

と響流するのは、娑婆に対面する浄土あればこそです。娑婆という、わたくしの実存を射当てた不滅の用語が、無残にも死語と化されつつあります。このようにして娑婆というこよなき実存用語を捨て、威徳ある他力に不感症となり、生きる生きると叫んで往生の大義を失うのは、どこに業のゆがみがあるものなのでしょうか。

26

娑婆永劫《ようこう》の苦をすてて
浄土无為《むい》を期すること
本師《ほんじ》釈迦のちからなり
長時《じょうじ》に慈恩を報ずべし

『般舟讃』の、

本を憶えば娑婆知識の恩なり。若し釈迦の勧むる念仏にあらざるよりは、弥陀の浄土何に由りてか見ん。心に香華を念じひとえに供養して、長時長劫に慈恩を報ぜん。

あるいは、

厭《いと》わばすなわち娑婆永く隔《へだ》つ、ねがえばすなわち浄土に常に居せり。

の文によるようです。前の一首と、弥陀釈迦と対応しつつ、一連の同調を感じます。

娑婆のいつ果てるともない苦難の歩みを今やきっぱりときらい捨てきって、如来のお開きになった無為自然の浄土に往生できることを、心をふくらませてよろこぶ身となりましたことは、われらの最高無上の釈尊の開覚のお力によるものです。長時長劫にわたって大慈悲の恩徳に報いねばならないと、深く期するところであります。

「浄土无為を期する」について、ある高名な宗教哲学者は、浄土の思念は世界のいずれの宗教も発想できないところであるとし、「将来の浄土」と言われます。まさに来たらんとする浄土の意です。ここに来ているというのではないが、法性《ほっしょう》生起《しょうき》の次第にしたがって来つつあるのです。過去はすでに過ぎ去り、現在は一瞬のうちに過ぎてとらえられず、未来は未だ来たらずですから実現の不可が見えず不安です。「将来」だからこそ「期する」希求が引き出されるのです。ここに大師の、

ねがえばすなわち浄土に常に居せり。

が、浄土に生まれているの意でないことが知られます。ここにたしかにあるとしてつかもうとするのは為作自力でありまして、無為自然は「将来」によってこそ満たされるのです。これらをたしかにするものが廻向の信心です。信心がなければ娑婆と別離することができません。信心をな

いがしろにして生きたものが、浄土を期待するなどはあり得ないことです。

「文類偈」に「善導独明仏正意」とある、その「独」の意味について、七高僧の中にあってただ一人などと受けとられたりしますが、大師の当時『観経』がよく流行して、諸学師がそれぞれの解釈を加えたが、大師がただ一人仏の本意は本願を凡夫にかむらせるにある、と見抜かれたその一点を指しているのです。鸞師から大師に至るまで、聖者のためではなくして凡夫のためである決定点が貫いています。この凡夫の自覚に立つことが容易ならざることです。凡夫を卑下慢としか理解できないために、得意の境にあるときには、いつしかに聖者賢者の位に身を置いております。凡夫は宗教的知見です。

源信大師　付釈文　十首

1

源信和尚《げんじんかしょう》のたまはく
われこれ故仏《こぶつ》とあらはし(れ)て
化縁《けえん》すでにつきぬれば
本土にかへるとしめしけり

「げんしん」ではなく「げんじん」との濁音記号がついていますから、そのように発音するのが祖聖の思し召しにかないます。第二行の左訓は「もとのほとけという」です。

源信和尚が仰せられますのに、「自分はもとはといえば仏であったのです。浄土から娑婆に還来して衆生教化に尽くしたが、ゆかりを結ぶことも終ったようなので、ふたたびもとの浄土に帰ります」とお示しになりました。

これは『源信僧都行実』の、

一日僧都、身を雲間に現し、慶祐に告げて曰く、我もと極楽久住《くじゅう》の大士、化縁已に尽きて、本国に還帰す。

とあるもので、和尚の没後に三井寺の慶祐が夢の中でこのお告げを聞いたというのです。「身を雲間にあらわし」ですから、「あらはれて」ではないようです。

源信大師は、九四二年〜一〇一七年、七十六歳の往生です。当麻曼陀羅《たいままんだら》を蔵する当麻寺のあることでよく知られた大和国当麻の郷に生まれ、母の厚い仏心に育てられたと伝えます。祖聖と同じく九歳で比叡山にのぼり、横川《よかわ》の良源に師事して天台の教学を習い、学解の名声があがりかけたとたん、母よりの世俗の名利にまみれるな、との忠言が身に沁みて、横川の恵心《えしん》院に隠棲《いんせい》することになったのです。

四十歳を越えてしばらくしてであったか、この母の病篤きを聞き、山よりかけつけて臨終に至る数日看病しつつ、念仏往生の道を語ったのでした。母は今日まで寂しさに耐えてきたのは、今日のよろこびのためであったと、安らかに浄土に迎えられて往ったのです。子が母を浄土に往かしめるとは最高の孝養です。これに自信を得て著述に着手したといわれます。これが恵心僧都の名とともに日本浄土教の出発点となる『往生要集』三巻です。

出来上ったのは四十四歳とのことですが、その後この書は批判を乞うために宋国に送られて、宋の商人周文徳より返信が届いております。

大師撰択の『往生要集』三巻、捧げ持って天台国清寺に詣り附入することすでにおわる。(中略)興隆仏法の大いなる基であり、往生極楽の因縁たるもの。

とほめたたえています。念仏証拠にはこれだけ公明正大な堂々たることがやれるのが、真の隠棲というものです。

かってエドウィン・ライシャワーの厳父オーガスト・ライシャワーが来朝した際、日本において独創と称し得る一書を挙げて欲しいとある学者に尋ねたところ、この『往生要集』こそと指示したといいます。この中「地獄篇」が英訳されて欧米に伝えられたと聞いております。日本の神思想による楽天主義のただ中に、地獄の沈痛な観念を大地化した功績は、独歩のものがあります。今日に至るまで地獄なんかあるものかと言わせない力をもって迫ってきます。信心獲得の阿闍世王が、地獄の責苦に喘ぐ人びとをたすけに走りたい、と告白した所によってみても、地獄を離れて念仏の信心のあり得ないことを知るのであります。

むしろ信心の人にして始めて地獄が見えたということです。源信和尚は、妄念の凡夫も念仏すれば来迎にあずかることにめざめて、地獄に落ちるなと地獄の苦悩相を書かずにおれなかったのです。祖聖も念仏に背くものは地獄に落ちると断定して、

念仏誹謗の有情は
阿鼻地獄《あびじごく》に堕在《だざい》して
八万劫中《ごうちゅう》大苦悩
ひまなくうくとぞときたまふ

と厳しく呼びかけられます。この落ちるということも、時間の後の時というよりも今現在に重層的に直感できるというものがあるのです。

すでに『西方指南抄』下末には、

また『平等覚経《びょうどうかくきょう》』にいわく、若善男子・善女人ありて、かくのごときらの浄土の法文をときききて、悲喜をなして身の毛よだつことをなして、ぬきいだすがごとくするは、しるべし、この人過去にすでに仏道をなしてきたれるなり。もしまたこれをきくといふとも、すべて信楽せざらむにおきては、しるべし、この人はじめて三悪道のなかよりきたれるなり。
との厳しい説法が見えます。

『平等覚経』の具名は、『無量清浄平等覚経』四巻、『無量寿経』の異訳です。折角浄土の教えを聞く場にはべっても、これを信楽することができないのは、この間まで地獄の住人であったからその地獄の臭いがぷんぷん臭っていて、まだ信楽する素質が育てられていないのだというのです。源信和尚でもそうであったように、源空法師にあってもその仏法領域の中に地獄がなまなましくその存在を証明していたということです。哀れにも仏法聴聞に背反する地獄人を眼前に見ていられたからです。地獄を哀れみをもって見ることができるのは、浄土からの還相の眼です。

これに反して浄土の教えを聞いて悲喜の情をおこすのは、すでに過去世において仏への道を歩んでいたからとは、唯仏与仏の知見です。

2　本師源信ねむ(ん)ごろに
一代仏教のそのなかに
念仏一門ひらきてぞ

濁世末代すすめ《（おしへ）》ける

われらに根本の道をお教え下さった源信和尚は、われら凡夫にねんごろな手をさしのべて、釈尊の一代かけてお説きになった無量の法門の中から、凡夫のたすかるためには、ただ念仏一門ありと開示して、末法五濁悪世の凡夫に呼びかけ念仏することをすすめられたのです。

『往生要集』開巻第一の「序」の、

夫れ往生極楽の教行は、濁世末代の目足《もくそく》なり。道俗貴賤誰か帰せざる者あらん。但し顕密《けんみつ》の教法其文一に非ず、事理の業因其行惟《これ》多し。利智精進の人は難と為さざらんも、予が如き頑《がん》魯《ろ》の者豈敢てせんや。是の故に念仏一門に依りて、いささか経論の要文を集む。之を披《ひら》き之を修すれば、覚り易く行じ易からん。総じて十門有り、分ちて三巻と為す。一には厭離穢土《おんりえど》、二には欣求《ごんぐ》浄土（後略）。

の文によります。

叡山二十年の祖聖は相当に長期間、この『要集』に打ちこんで念仏せられたでありましょうから、「文類偈」にもこのところを、

源信広く一代の教を開きて、偏に安養に帰して一切を勧む。諸の経論に依りて教行を撰ぶ。誠に是れ濁世の目足為り。

と、感銘をこめて述べられます。教行が目足となるとは巧みな具体性であり、何をどのように見たらよいのか分からぬ目のものに、仏の智慧の目を与え、どの方向にどのように歩くべきか分か

らぬものに、念仏という選ばれた行の足となって歩ませたもうのです。この足とおなりの教行をわれらは額に頂礼しなければなりません。

先の「予が如き頑魯の者」はかたくなにしておろかの意で、真実底から出ていますので心を打ちます。このわが身の見えた人でなければ、凡夫のたすかる仏法は語れません。わたくしどもも、この実感に同調することはあるのですが、借り着であるゆえにいつしか賢善精進の気どりに走ります。わたくしどもが愚なりと表明するときは自己弁護に立っているのですから、愚の重厚さを失って卑しいものに下落します。

本願を信じ浄土を求めるには、この知見がはっきりしていて、鸞師は「吾既に凡夫、智慧浅短」、「業貧寒にして薄きもの」、道綽は「機解浮浅暗鈍」、善導は「自身は現に是れ罪悪生死の凡夫」、「善根薄少」、「鈍根無智」、「信外の軽毛」と信知し、これが源信のうえには「頑魯」となって徹到しております。

3

霊山聴衆《りようぜんちようじゆ》とおはしける
源信僧都のおしえ（へ）には
報化《ほうけ》二土をを（お）しえ（へ）てぞ
専雑《せんぞう》の得失さだめたる

第三行の左訓は「報身報土、化身化土なり」です。真実報土と方便化土です。

「霊山聴衆」は、前の第一首と同じく三井寺の慶祐が感受したものです。耆闍崛山《ぎしゃくっせん》すなわち霊《りょう》鷲山《じゅせん》で、釈尊が『無量寿経』を説かれたとき、その聴衆の一人であったというのです。このことは「源空和讃」第十五首に「霊山会上」と同調の思念が出ますので、そこで依拠を求めて詳しくします。

すでにインドの霊鷲山に在って仏法をよく聞き、たしかな領解をお持ちの源信僧都の教えられました所は、われらがたすけられていくのは浄土なのであるが、そこには真実の報土、仏が方便して仮に設けられた化土との二つがあって、その報土の往生は、専ならば得るが雑ならば失う、すなわちただ専ら《もっぱ》念仏だけを修すれば報土に生まれるし、念仏のほかに余行を雑えるならば方便化土にとどまって、如来の本願によって開かれた報土往生を失うとの決判なのです。

4　本師源信和尚は
懐感法師《えかんほっし》(禅)の釈により
處胎経《しょたい》をひらきてぞ
懈慢界《けまんがい》お(を)ばあらはせる

第二行の左訓は「懐感禅師の『群疑論《ぐんぎろん》』によりて、諸行往生の様をあらわせり」、第三行は「『菩薩処胎経』の二の巻に、懈慢辺地《へんじ》の様を説かれたるを引かれたり」です。

「懐感法師」は、文明本には禅師です。唐代の人にて善導に師事し、浄土の要義をさとり『釈浄土群疑論』を著しています。唯識教義に立脚して浄土教に対する疑問点を解明したものですが、善導とはかなりの違いもあるといいます。

われらの念仏の師であられる源信和尚は、懐感禅師の著した『釈浄土群疑論』をよく読んで、『菩薩処胎経』第六巻の説を解明し、そこに説かれている懈慢界に着目して、これを化土とせられたのであります。

「愚禿述懐仏智疑惑和讃」第三首には、

仏智疑惑の罪により
懈慢辺地にとまるなり
疑惑の罪のふかきゆへ
年歳劫数をふるとく

とあり、「方便化身土文類」の初めには、

謹んで化身土を顕さば、仏は『无量寿仏観経』の説の如し。真身観の仏是れなり。土は『観経』の浄土是れなり。復『菩薩処胎経』等の説の如し。即ち懈慢界是れなり。亦『大无量寿経』の説の如し。即ち疑城胎宮《ぎじょうたいぐ》是れなり。

とあります所を読み合わせたいものです。（拙著『正像末法和讃講話』一四一頁参照）

『処胎経』には、西方の業を作しても専修でない人は、諸行往生のように本願に当たらないから仏が来迎せず、懈慢国に生まれるのだと説いています。

5

専修《せんじゅ》のひとをほむるには
千无一失とおしえ（へ）たり
雑修《ざつしゅ》のひとをきらふには
万不《まんぷ》一生《いっしょう》とのべたまふ

第二行の左訓は「千に一つもとが（咎）無しとなり」です。

『群疑論』巻四の、

余の一切諸願諸行を廃して、唯願唯行西方一行のみ。雑修の者は万不一生、専修の人は千無一失。

との文によります。「善導和讃」第六首の左訓にも出ます。

ただ一すじに西方浄土を願い念仏だけを修める人をほめたたえては、千人の中に一人の間違いもなく往生を遂げると教え、さまざまの願いや余行をあれもこれもと修する人をきらいしりぞけるについては、一万人の中に一人の往生もかなうわけがないとお述べになっております。

6

報の浄土の往生は
おほからずとぞあらわ（は）せる
化土にむまるる衆生おば（を）
すくなからずとおしへたり

『群疑論』巻四の、

報の浄土に生ずる者は極めて少し。化の浄土の中に生ずる者は少なからず。

の文を、『往生要集』下末に引用されている所です。

如来の本願にむくわれて現出している浄土に往生のかなう専修専念の人は、極めて数少ないと示されるとともに、逆に誘引のために仮に設けられた方便化土に生まれる雑修の人は、すこぶる多いとお教えになっております。

祖聖は、本願に近づきつつ信じきれない疑心の深さをあわれみ、方便化土を語られます。「愚禿述懐仏智疑惑和讃」第十二首には、

罪福ふかく信じつつ
善本修習する人は
疑心の善人なるゆへに
方便化土にとまるなり

と見え、「正像末法和讃」第四十九首には、今の一首と全く同じ内容の、

報土の信者はおほからず
化土の行者はかずおほし
自力の菩提かなはねば
久遠劫より流転せり

として、去り難い自力心を転向せしめるために、方便化土を設けられた悲心が切々として伝わってきます。本願に向かってすなおであれば、救いは眼前にあると聞きましても、自己のあやまちを固執してひたすらに弁護しようとする、その頑迷さを思い知らせる場が方便化土であるともいえます。

7

男女貴賤《なんにょきせん》ことごとく
弥陀の名号称するに
行住《ぎょうじゅう》坐《ざ》(座)臥《が》を(も)えらばれず
時處諸縁《じしょしょえん》も(は)さわりなし

ここからは『往生要集』の文によるところで、この一首は「下本」の、

今念仏を勧むるは是れ余の種々の妙行を遮《しゃ》するに非ず、只是れ男女貴賤、行住坐臥を簡《えら》ばず、時処諸縁を論ぜず、之を修するに難《かた》からず。

との「念仏証拠」の文のはじめです。

往生を得るためにはただ弥陀の名号を称えよと念仏をすすめるのは、男であろうと女であろうと貴い人も賤しい人もなんのへだてもなく、歩いていても止まっていても坐っていても臥せていても、称えるのにえらびはなく、いかなる時でも処でもどんなかかわりによりましても、念仏を称えるのには何のひっかかりもないわけです。

貴人について僧都はどのような理念を持たれたのか分からないが、わたくしは特別の思いを持ちます。それは「下本」の終りに、

大象窓を出でんとして遂に一尾の為に妨げらる。行人、家を出づるも遂に名利《みょうり》の為に縛《ばく》せらる。則ち知る出離最後の怨、名利より大なるものなきなり。

とあるところ、読み返すごとに菩提心のすごさが、大波となって押し寄せます。祖聖も人間の悲しみをもって「名利の太山《たいせん》に迷惑す」と応答されます。この名利を超出できないという僧都は、貴人であったと見ます。自ら貴人と称することはあり得ないことですが、貴人が貴人としてとばれることがなければ人間界が下落します。祖聖もこれを讃詠されるについては、はじめから貴人があるのでなく、念仏の信心によって不退の品格をそなえた貴人となる、自ら賤しいと卑称する人も信心によって貴人となれ、との願いが底流していたのではないでしょうか。

「時処諸縁を論ぜず」を一歩飛躍することになりますが、過現未を通していろんなことにゆさぶられながら、ここに念仏の灯火ありとの依りどころを失った不幸な時代に思いを馳せ、高名な評論家の一文を読んで憂えを共にします。

「遺伝子や核エネルギーを操作し、大量の情報を伝達するための高度の知識をもちながら、今日の社会は、みずからどこへ向かっているのかを知らない。それは、長い間会社で働いてきた有能な個人が、定年退職になったときに、俺は一体何のために生きてきたのか、と呟《つぶや》くようなものである。その答えは、専門化された仕事や、個別的な領域での知識そのものからは、出て来ないだ

ろう」

と。この「何のために生きてきたのか」との問いは、極めて高度なもので、誰人をもうなずかせる解答はない、と人は言うであろうが、事あるごとに独りこのつぶやきを漏らし、答えもなくて消えていくのです。人生の意味無意味を大きく包んで、これでよかったのだと自己自身にうなずける解答を与えるものが、弥陀の名号を称えるということなのです。冷静な心で閉じた黒闇を開くのは、これ以外に何があるでしょうか。

8　煩悩にまなこさえ《(へ)》られて
　摂取の光明みざれども
　大悲ものうきことなくて
　つねにわがみ《(身)》をてらすなり

第三行の左訓は「ものうきことというは、怠り、捨つる心なしとなり」です。

『要集』中本の、知聞された、

　色即是空の故に之を真如実相と謂い、空即是色の故に之を相好光明と謂う。一色一香中道ならざるはなし。

の出る所にて、今讃は、

　相好光明照曜せざるはなし、行者心眼を以て己身を見れば、彼の光明所照の中に在り。

が根底に動き、直接には、

彼の一々の光明遍く十方世界を照らし、念仏衆生摂取して捨てず。我も亦彼の摂取の中に在れども、煩悩眼を障《さま》たげて見つること能わずと雖《いえど》も、大悲倦《ものう》きことなく常に我が身を照らしたもう。

の文によります。

われらは自らの煩悩のために心眼が曇らされて、おさめたすけすくう阿弥陀仏の光明を、よく見ることができないでいるけれども、しかも如来はもう疲れたいやになったと煩悩の凡夫を捨ててしまうことをなさらずに、常にわが身を照らしたもうかたじけなさよ。

第一には、光明に照らされているが見えない、第二には、見ることができないけれども照らされていることにかわりはない、との二重になっています。元来光を見るというよりは、光の中でものが見えるのです。如来の光明によって无明の闇が破れてはいても、煩悩によって暗くされるのです。またそのことによって大悲無倦をかたじけなく感じるのです。

聖徳太子の『維摩経義疏』「総序」には、

国家事業を煩《はん》となす、ただ大悲息《やす》むことなく、志《こころざし》益物《やくもつ》に存す。

と見えますが、この「大悲無息」と「大悲無倦」との間には、感応道交《かんのうどうこう》がひらめきます。太子は政治の舞台で活動されたのですが、国家事業すなわち政治は煩わしく煩悩の種であるから、進んでやりたいとは思わない、しかるに如来の大悲は一刻の休息もなく、その志願は迷える衆生にまことの利益を与えたいの一念ではないか、それならばどうして自分がよごれることから逃げておれようぞ、身を施してまで法を聞いた仏の志願に感応する、さあ立ちあがろう、というのが太子の決意です。

「皇太子聖徳奉讃」第七十五首

とめるもののうたえは
いしをみづにいるるがごとくなり
ともしきもののあらそひは
みづをいしにいるるにたりけり

これが最後に置かれておりますのは、無息の大悲はこの深刻な事実を黙過することなく、益物に急ぐ永劫の志願が光被《こうひ》しつつあるということです。水を石にいれることは不可能だから絶望のほかない、と捨てるのではなく、おこたりすつることなき如来の大悲が必ず道を通ぜずにはやまない力をそなえております。

太子は「有情救済の慈悲ひろし」と祖聖に慕われましたように、大悲に生きた稀有なお方でありましたし、祖聖も「我も亦」「除かれたるわれらをも」をいのちとして生きられましたので、慈悲の人であったとたたえずにおれません。「我も亦」は「小慈小悲もなきみにて」を引きおこし、それゆえに大悲をこうむらなければ生きられず、常に大悲を行ずる人であられたのです。たすけられた力が人をたすけるのです。

9

弥陀の報土をねがふひと
外儀《げぎ》のすがたはことなりと
本願名号信受して
寤寐《ごび》にわするることなかれ

第二行の左訓は「ほかのすがた、みのふるまい。行住坐臥、四威儀《しいぎ》の姿はことなれど」、第四行は「ねてもさめても」です。

『要集』中本の、
行住坐臥、語黙作々《ごもくもささも》、常に此の念を以て胸中に在《お》き、飢《う》えて食を念うが如く渇《かわ》きて水を追うが如く、或は頭を低うし手を挙げ、或は声を挙げて名を称す。外儀は異なりと雖も、心念常に存し、念々に相続して寤寐にも忘るるなかれ。
昼夜六時或は三時二時、要《かな》らず方法を具して精勤修習せよ。其余の時処は、威儀を求めず方法を論ぜず、心口《しんく》に廃することなく常にまさに仏を念ずべし。
との文によるのですが、ここは称えることの後景に念ずることが強く要請せられております。

弥陀の誓願にむくわれた真実の浄土に生まれたいと願う人は、行住坐臥、語るも黙するもなしわざのすがたはどう変わろうとも、名号を称えるものを救うとの弥陀の本願を信じ受けとめて、念々に相続しねてもさめても忘れてはならないのです。

念は「念記不忘《ねんきふもう》」とて、おぼえて忘れないことですが、先の「大悲無倦」に照らせば、念々に捨てず忘れないのはむしろ仏の方であるのです。「仏、我を念じたもう」と念仏を聞くのです。仏の念が我に映るのです。仏の念だから忘れる心配がないのです。年齢によって忘れるほかない人も、「忘るることなかれ」との仏の念のとうとさに頭を低うして聞き入ることができます。

念々に捨てざる者これを正定の業と名づく。

とあるのも、「念仏の一声一声の中に弥陀が捨てないという念力がはたらいているからこそ、正しく浄土往生ときまってくるなしわざと呼ぶのだ」とさえ読みたいのです。

更に「正像末法和讃」第五十三首には、

弥陀大悲の誓願を
ふかく信ぜむ人はみな
ねてもさめてもへだてなく
南无阿弥陀仏ととなふべし

と、きびしい一歩のふみこみが見えて、心弱き者の恐れとなります。『往生礼讃』の、

唯睡時《すいじ》を除いて常に憶念せよ。

の助けを待つまでもなく、「ねてもさめても」はもっと願意に感動した、とらわれのない表現なのでしょうか。「ねてもさめても」は、つよばった我執が破れ、大きな生命の世界に抱かれて、小さくやさしくへりくだったとき、感受できるものとしますと、

暁のまだ暗きよりみ名となう出《い》で入る息ぞ尊《とうと》かりける

との晩年の斉藤茂吉の一首を、こよなきものとして口ずさみつつ、今の和讃に相和するのも許されるのでもありましょうか。このような存在の深みをたたえた永遠の声を聞くこともなく、雑音ばかりに流されていると、過去の栄光だけを忘れないという寒々とした結末に終ることになりかねません。人は忘れる忘れないに苦労を用いるのですが、ただ一つのことだけねてもさめても忘れるな、と呼びかけられているということは、意識にのぼらないことでありますゆえに、かえって深く根底に響かせねばなりません。

10　極悪深重《ごくあくじんじゅう》の衆生は
　他の方便さらになし
　ひとえに弥陀を称してぞ
　浄土に《(へ)》むまるとのべたまふ

第二行の左訓は「余の善、余の仏菩薩の方便にては生死出でがたしとなり」です。

『要集』下本、

『観経』には極重の悪人は他の方便無し、唯念仏を称して極楽に生することを得るとのたもう。

の文によります。この要集文を「行文類」に引用の所では、「唯称弥陀」となっております。

極悪にして罪の深く重いわれらは、ほかの善根やほかの仏や菩薩の、いかなる手だてをもってしても、この生死罪濁から救われることはありえないのです。ただ心を一つにして弥陀の名号を称えて浄土に往生することによって菩提を得るのである、とお述べになります。

「正信偈」には「極重悪人唯称仏」とあり、続いてすぐに「我亦」と押えられますから、わが身こそ極重悪人なのです。根底には「唯除五逆誹謗正法」があり、除かれたる者でありながらも称仏することが許されるのが、天にも地にもかえがたい大きな出来事なのです。悪人のどこをたたいても、称仏の声など出るわけはないのですが、「一生造悪値弘誓」とありますように、大悲本願にうながされて初めて光の中にありつつ背く悪人の正体が自身に見えてくるのであります。悪人の通路を開かんがために願いかけられた称仏名でありますから、称仏名そのことが悪人の廻心であります。如来の大悲が悪人のために身を砕きたもうのです。そのときに悪人の骨も砕けております。

　　己上源信和尚

ここに左訓のようなかたちで、「楞厳院《りょうごんいん》の中に恵心院《えしんいん》の僧都《そうず》の御名なり。恵心院は御坊の名なり」と付記せられています。

叡山横川《よかわ》の中堂楞厳院のその支院たる恵心院にお住いでありまして、通称恵心僧都と呼びます。威儀を正していえば、天台首《しゅ》楞厳院沙門源信ですから、この「源信和讃」の終りに際し『首楞厳経』に思いを馳せ、「浄土和讃」を「以上弥陀一百八首」と擱筆しつつも、「『首楞厳経』によりて大勢至菩薩和讃したてまつる」八首を追讃されています。もとより「源空聖人の御本地なり」と記して「勢至菩薩」を仰いでいられますが、第一首、

勢至念仏円通《えんづう》えて

五十二菩薩もろともに

すなわち座よりたたしめて

仏足を頂礼《ちょうらい》せしめつつ

とあるを拝誦していますと、祖聖が恵心院に在って若い情熱を傾けて学習されたとき、恵心僧都を念仏の先導者として頂礼された光景が、彷彿として浮かんできます。山を下り本師源空の生きた念仏像に触れて、『往生要集』主の本意を了得することができたのだと思います。「本師源信ねむごろに」「みざれども」「わするることなかれ」などのお言葉の中に、その恩厚を謝する深旨をうかがいます。

源空聖人　付釈文　二十首

1

本師《ほんじ》源空《げんく》よにいでて
弘願《ぐがん》の一乗ひろめつつ
日本一州ことごとく
浄土の機縁《きえん》あらわ(は)れぬ

本師源空聖人がこの世に出興遊ばされて、本弘誓願の一仏乗を弘められましたので、日本全体いずれの地までも、浄土念仏のさかんになる気運が燃えあがったのであります。

ここでは「源空聖人」との呼び方ですが、あるいは「真宗興隆の大祖《たいそ》源空法師」とか、「法然聖人」とか称されます。今は「法然上人」と呼びなれておりますが、この和讃に限っては「源空聖人」をもって貫かねばなりません。

源空聖人（一一三三〜一二一二）は、美作《みまさか》国久米《くめ》の押領使《おうりようし》たる漆間《うるま》時国《ときくに》を父として生まれ、九歳の春、国司の代官源内武者定明《げんないむしやさだあき》との争いのため、父時国が暗殺されたと伝えます。十五歳のとき比叡山に登り、すぐれた智慧をもってしてもたすからぬ身の上をなげき悲しみ、四十三歳にして善導の『観経疏』「散善義」の「本願にかのうた念仏」を説く一文に触れて、一大事をさとることになったのです。専修念仏に徹して黒谷吉水《よしみず》にこもりました。六十六歳のとき藤原兼実《かねざね》のたのみに応じて『選択本願念仏集《せんじゃくほんがんねんぶつしゅう》』を著わしました。後に祖聖はこの「無上甚深《じんじん》の宝典」の書写を許された感銘を、悲喜の涙を抑《おさ》えて、その深いえにしをしるされます。このようにして念仏による浄土往生の機縁がいよいよ熟していきます。

2

智慧光のちからより
　本師源空あらわれて
浄土真宗をひらきつつ
　選択《せんじゃく》本願のべたまふ

阿弥陀如来の智慧の光明が、はたらきを示し、この上なき師たる源空聖人となって顕現したまい、今まで浄土往生を説くことは、方便仮宗として、かりの手だてであったものを、浄土教こそ如来真実にかなうものであるとの旨を明らかにしたまい、われらをたすけんがために選択された第十八願の念仏を、ひろくお説き下さったのです。

「大勢至菩薩和讃」の終りには「源空聖人の御本地なり」とありますように、勢至菩薩は阿弥陀の智慧の象徴であり、その「ちから」が源空を体現せしめたとみるのです。後の和讃にみるように智慧が満ちみちて、聖人のからだから光を放たれます。

われらの祖聖は「如来のまことの心をうるならば、真実の浄土に生まれる、と教えたもうたのが浄土真宗である」と仰せられるのですから、「浄土真宗」の前には謹んで一歩へりくだっていられます。源空の開顕された浄土往生の教えこそ、一切衆生のたすかる真実の宗教であると、ひれ伏されたのです。かくて功を完全に師聖人に帰しつつも、しかも浄土真宗を光り輝く名として高揚された祖聖こそ、よく師を満足せしめたものであり、師弟一体の浄土真宗の実証者として仰ぐべきです。

源空は六十六歳のとき、藤原兼実《ふじわらかねざね》の請いに応じて、『選択本願念仏集』を撰述し、「往生之業、念仏為本」の義を明らかにされたのです。祖聖はこれを書写する恩恵に浴し、この感動は生涯を通して響き流れて、「希《け》有《う》最勝の華文、无上甚深の宝典」と仰いだのです。それで本願を憶念するときは、「選択本願」と称することによって、本願開顕の恩を源空に帰する思いが深かったのではないでしょうか。われらごときものもたすかる本願というのが、選択本願の内容だと思います。

この第三行の「浄土真宗」と第四行の「選択本願」との組合せに見入るとき、『教行証』「行文類」の標挙の文という「諸仏称名の願」に添えて「浄土真宗の行」「選択本願の行」と並べられているところと対比して、一にして二であり、二にして一である点が読めるようです。本願にかなうがゆえに、浄土真実の行であり、本願真宗とも真宗念仏ともいわるるゆえんです。

3　善導源信すすむとも

本師源空ひろめずは
片州《へんしゅう》濁世のともがらは
　いかでか真宗をさとらまし

中国の善導和尚もわが国の源信大師も往生の行たる念仏をおすすめになったのであるけれども、われらの大切な師にましますす源空聖人がまのあたりおひろめ下さらないでは、ほんの小さい島の集りのようなわが国土、しかも五濁悪世に生を受けたこの群類が、なにをもってまことの教えを聞くことができたでありましょうか。想えば大恩が身に浸みます。如来の本願に遇うことができたのは、末法濁世に生を受けたからによるものであり、それを身をもって示された本師源空による本願開顕のお力であります。

「片州」は、第十六首にも「粟散《そくさん》片州」と詠われていますように、何かの知見があるようです。インド本国に対してか、中国大陸に対してか、どうもそれではこころの落ち着かぬものがあるので、広大無辺なる浄土の中の片州と受けとめることはゆき過ぎでありましょうか。飛躍してまで思いめぐらしますのは、「国家とは此土において浄土を映すものでなければならない」（西田幾多郎）との浄土の智慧が、わたくしをゆり動かしてやまないからであります。

「真宗をさとる」という表現は、決して揚ちがいではなく、弥陀の本願を信じてたすけられた状況を意味します。わが身の救いが、他のいかなるものでもなく、公明正大なる真宗であったことに、謝念を捧げているのです。真宗に目覚めるとは、言い尽くした言葉だと思います。

4

曠劫多生《こうごうたしょう》のあひだにも
出離《しゅつり》の強縁《ごうえん》しらざりき
本師源空いまさずは
このたびむなしくすぎなまし

はかり知れない過去遠々《おんおん》より、生まれ変わり死に変わりして迷いの生死を繰り返しつつも、今日に至るまでこの生死より出で離れる強い縁となるところの本願力に遇うことなくて過ぎました。もしもここに本師源空がこの土にいでまさなくしては、このたびのかけがえのない一生も、手を空しくして過ぎ終るという絶望的な悲しみにさいなまれたことでありましょう。

生死流転の身であったことを知るのは、生死を出離することのできたときに、はじめてその恐ろしさに目覚めるのです。源空自らも叡山にあって日にち念仏しつつも、その念仏でたすかったというところへ身をおくことができずに、いらいらしていたのです。そのもだえ苦しみを『黒谷上人語灯録』巻第十五のうえに聞きましょう。

もし無漏《むろ》の智剣なくば、いかでか悪業煩悩のきずなをたたんや。悪業煩悩の絆《きずな》を断ぜずば、何ぞ生死繫縛《けばく》の身を解脱することをえんや。かなしきかな、かなしきかな、いかがせん、いかがせん。ここにわがごときは、すでに戒定慧《かいじょうえ》の三学のうつわものにあらず。この三学の外にわが心に相応する法門ありや。乃至 しかるあいだ、なげきなげき経蔵に入り、かなしみかなしみ聖教にむかいて、てずからみずから ひらきてみしに、善導和尚の観経の疏《しょ》にいわく

「一心に専《もっぱ》ら弥陀の名号を念ぜよ、行住坐臥も、時節の久近《くごん》を問わず、念々に捨てられざる者は、是を正定《しょうじょう》の業と名づく、彼の仏願に順ずるが故に」と。

悲しみの極まりにおいて、善導の文言が眼を射たのです。何度も通過しつつ、今はじめていのちが燃えたのです。本願の念仏に触れて、善導の声を聞いたのです。たすかりたいの念仏ではなく、たすけられてあることのかたじけなさが、本願によって証知されたのです。源空の善導一師としての仰ぎ方は、ここに根源があります。一声一声の念仏を通して、如来から摂取不捨と捨てられていないとの感知は、善導と源空との出遇いを呼び起こし、更に具体的にあざやかな形で、源空と祖聖とのめぐり遇いのうえに将来されたのです。本願念仏の人には智慧光の力があって、道を求める人を招き寄せずにはおきません。

5

源空三五《さんご》のよわ《(は)》いにて
无常のことわりさとりつつ
厭離《えんり》の素懐《そかい(は)》をあらわ《(は)》して
菩提のみちにぞいらしめし

源空法師は、九歳の時の事変から、身に浸みて無常ということの道理をよくみつめ、十五歳になりましたとき、この世の日常性に流されることから出で離れて、この世の真実を見る眼を開く本来性に立とうとして、菩提を求める仏道修行の場にお入りになったのです。叡山西塔《さいとう》の学僧たる源光に師事したのですが、その非凡さを敬って皇円《こうえん》に托したのです。更に三年して西塔黒谷に住する慈眼房《じげんぼう》叡空《えいくう》を師とすることになり、法然房源空と号することになります。この師叡空は、後年源空に対して逆に弟子の礼を執ったということです。これは次の第六首に讃詠されます。

この「厭離の素懐」は、祖聖の心底を衝き働かしていたものであり、叡山に登ったのも「生死出づべき道」を求めたものであり、二十九歳にして源空法師に対面したのも、この「生死出づべき道」を尋ねてのことであったのです。善導の「帰三宝偈」の、

道俗時衆等、各無上心を発せども、生死甚だ厭《いと》い難く、仏法復欣《またねが》い難し。

という、言い当てた直言は、どれほど身に浸みたでありましょうか。思いを超えるものがありま す。『教行証』「信文類別序」には、

浄邦を欣《ねが》う徒衆、穢域《えいき》を厭う庶類《しょるい》、

と、はっきりとおさえ、すぐに大信心を述べるにあたり、

欣浄厭穢《ごんじょうえんえ》の妙術

とされます。ここに仏道の根幹があることを知るのであります。

6　源空智行《ちぎょう》の至徳には
　　聖道諸宗の師主も
　　みなもろともに帰せしめて

一心金剛戒師《こんごうかいし》（の）とす

源空法師の智慧とその日にちの念仏行による、けだかいお徳の姿に対しては、聖道門各宗の師主方も、みなともに帰仰されまして、一心金剛宝戒を受戒するについて、もとの師がかえって弟子となって、法師を戒師として敬礼しました。

智行については、般若の智慧と、布施・持戒・忍辱・精進・禅定としておさえても宜しいようです。そこまでわけていわなくても、仏者としての全体像の尊さを見れば充分です。

一心戒は、大乗戒とも円頓《えんどん》菩《ぼ》薩戒《さつかい》ともいい、万法を具した一心をもって戒体《かいたい》（仏性を得て仏子となる）とし、戒相は『梵網経《ぼんもう》』の十重四十八軽《きょう》戒です。念仏門においては、「天親和讃」の第九首、「一心すなわち金剛心」とあるように、信心によって一心金剛を得るということにあてはまります。

源空法師のもとの師であった黒谷の叡空が円頓戒を復興してから、この円戒は黒谷が本流となり、法師は終生その護持につとめ、たびたび授戒の師となられたが、念仏の同法者たちには持戒とか破戒とかの沙汰はすべきでないとさとしていられます。

7

源空在世（存在せし）のそのときに
金色《こんじき》の光明はなたしむ
兼実《けんじつ》（禅定）博陸《はくりく》まのあたり

拝見せしめたまひけり

源空法師がご在世であられた時分に、おからだから金色の光明を放たれました。心から帰依者であった藤原兼実は、現にまのあたりこの光明を拝見することができたと伝えます。上欄に「月輪殿《つきのわどの》、「兼実」は「文明本」には、仏門に入った人の敬称たる「禅定《ぜんじょう》」とあります。上欄に「月輪殿、御法名円照」と添えてあります。九条摂政関白兼実（一一四九―一二〇七）は、第一級の政治家でありつつ、源空法師の帰依者であり護持者であったのです。念仏の奥義を撰述していただきたいと請うて、『選択本願念仏集』が出来上ったことは、大きなおてがらでした。しかし政治権力の有為転変《ういてんぺん》は激しく、その力の衰えとともに法師並に門弟たちの流罪、京都追放が決定するに至り、流罪赦免《るざいしゃめん》に尽力したのですが、力及ばざるを恥じ入ってこの年に亡くなりました。そこまで粉骨砕身されましたことは、追恩の重さが身に迫りますとともに、この光明拝見の和讃があかあかと西の空を明るくします。

8
　本師源空の本地《ほんじ》おば（を）
　世俗のひとびとあひつたへ
　綽和尚《しゃくかしょう》と称せしめ
　あるひは善導としめしけり

わが大切な源空法師の前の世は、どのようなお方であられたかについて、世間の人びとはいろいろに言い伝えまして、あるいは道綽和尚であられたとほめたたえたり、あるいは善導和尚にましましたと語り合いました。

「本地」とは、衆生の身に応じていろいろの形を示された垂迹身《すいじゃくしん》に対して、もとの仏・菩薩を本地といいます。「熊野権現《ごんげん》の本地は、弥陀如来なり」というのも、これと同調です。

9　源空勢志(至)と示現《じげん》し
　あるい(ひ)は弥陀と顕現す
　上皇群臣尊敬《しょうこうぐんしんそんきょう》し
　京夷庶民欽仰《きょういしょみんきんこう》す

源空法師は、これを崇敬する人びとの夢の中に、あるいは勢至菩薩と示し現われ、あるいは阿弥陀如来となってあらわれたようです。後白河・高倉・後鳥羽の上皇方、大臣公卿《くげ》等も尊敬し、京洛のみやこの人も東国の武士たちも農人商人たちも、この上もなく敬い仰ぎました。

『西方指南抄』中末「源空聖人私日記」

法蔵比丘の昔より弥陀如来の今に至るまで、本願の趣、往生の子細《しさい》昧《くら》からず説きたもうの時、三百余人、一人として聖道浄土の教文を疑うことなし。玄旨これを説きたもう時、人人始めて虚空に向こうて言語を出だすの人なし。集会の人人云く、形を見れば源空聖人、実は弥陀如来の応跡《じゃく》かと定めおわんぬ。

月輪の禅定殿下兼実、御法名円照、帰依甚深なり。或日聖人月輪殿に参上したまい、退出の時、地より上高く蓮華を踏みて歩みたもう。頭光赫奕《かくやく》たり。凡《おおよ》そは勢至菩薩の化身なりと。

祖聖が集録されたこの『指南抄』中末は、八十四歳の書写なのですが、源空和讃製作の時点で、充分に精通していられたことを知るのであります。さきの「浄土和讃」の「大勢至菩薩和讃」の終りに

大勢至は源空聖人の御本地なり。

とありますように勢至の化身であることと、弥陀の応現でありますこととは自由無碍であります。

10 承久《しょうきゅう》の太上《だいじょう》法王（皇）は
本師源空を帰敬《ききょう》しき
釈門儒林《しやくもんじゅりん》みなともに
ひとしく真宗をさとりけり（に悟入せり）

太上法王は、右肩に「後《のちの》高倉院」と添え書が出ます。後堀河天皇の父守貞《もりさだ》親王は出家して行助といったのですが、承久の乱後に後堀河天皇の践祚《せんそ》にしたがって、天皇の父として承久の太上法王と称したのです。後おくりなして後高倉院といいます。承久三年は法師の滅後九年をへだてていますが、在世中に帰依していられたことを語っているのです。

第三行は左訓によりまして、釈門は法師学匠、仏門にある人、儒林は俗学匠、儒学を奉ずる学

者たち、もろともに法師の智行の至徳によって、ひとしなみに誰もがたすかる真実の宗教のあり方をさとることができたのです。

『教行証』「信文類」には、「王日休《おうにっきゅう》（一一七三年寂）云く」として『龍舒《りゅうじょ》浄土文』の「願成就文」が引用されますが、王日休居士は孔孟老荘《こうもうろうそう》によく精進していますので、ただ今の「儒林」はこの日本版とでもみるべき人がいたのでありましょうか。もともと儒林との間に壁をつくるのではなく、「化身土文類」にては釈氏に対向して老子荘子が登場し、「『論語』に云く」として孔子の盲点たる「鬼神を問う」て、耳目を聳動《しょうどう》せしめるのですが、この和讃によって源空法師をとりまく儒学匠からの連鎖さえ想いみることができます。

11

諸仏方便ときいたり
源空ひじりとしめしつつ
无上の信心おしえ(へ)てぞ
涅槃のかどお(を)ばひらきける

阿弥陀仏が、自身を没してまっしぐらに衆生のもとに至る時機純熟して、現前にましします源空法師とおなり下さったのであります。これによって、比べるもののない如来廻向の信心を教えて、証大涅槃の門をお開きになったのであります。

諸仏は、「大経意和讃」第十首「諸仏の大悲ふかければ」を参照すべきです。この左訓に「弥陀を諸仏と申す、過度人道《かどにんどう》の心なり」と示されるように、祖聖がご覧になった『過度人道経』には「諸仏阿弥陀」とあり、諸仏がそのまま阿弥陀であるわけです。阿弥陀は諸仏の中の一仏ではなく、諸仏を諸仏たらしめている諸仏の体が阿弥陀仏です。諸仏は阿弥陀仏の名をほめることによって諸仏たることができるのであり、阿弥陀が諸仏を生みだすといえるのです。

『選択集』には、

涅槃の城《みやこ》には信を以て能入と為す。

とあるところが、第三・四行です。涅槃のみやこに入りたいと直接に涅槃を求めるのではなくして、そのためには信心の身となれというのです。廻向の信心を賜わるならば、信心が涅槃に直結するのです。信心こそ入門のかなめです。禅門が涅槃のさとりを直接に得ようとするのとは全く異質です。

12　真の知識にあふことは
かたきがなかになほかたし
流転輪廻のきわなきは(を)(は)
疑情《ぎじょう》のさはりにしくぞなき

誤りなく涅槃のみやこへ導く、真実の仏法者とめぐりあい対面することは、難の中の難事であって、この上もなくむずかしいのです。衆生が六道の中をどこまでも迷うて、それをぬけ出る時がないのは、本願を疑う迷情が障碍となるのが、根本原因なのです。

前の第十一首の『選択集』言と対応して、

生死の家には疑を以て所止と為す。

が詠われたものです。この疑情が仏智を見開くことを障えます。生死の家の根拠が疑情ですから、衆生は何によってあるかといえば、疑情によってあるというのです。この疑情は、貪欲《とんよく》・瞋恚《しんに》・愚痴《ぐち》・慢・疑・悪見として煩悩の一つに並ぶものではなく、無明の全存在にかかわる、衆生の死活を制するはたらきです。

この疑情を転迷開悟するのは、善知識にめぐりあうことです。祖聖にとっては、吉水を訪ねたことが、「観仏本願力」の事実となったのです。源空法師の上に本願力を仰いだのです。本願を体現している仏者こそ、善知識と称するのです。善知識を見いだすのはこちらの力であるけれども、その力は善知識から与えられたものです。善知識自身は、法に対して謙譲であって、「法に依りて人に依るな」ということを鮮明にされます。ところが往々にして法を離れた人の情が覆うことになると、疑情の変形があたかも全面帰投の信心であるかのように倒錯して、強固を誇る信仰集団を形造ります。強いということは人間の意志に酔うわけです。信心を得ることは、道を歩いていてはっと気づいたり、本を読んでこれだとつかんだりできるものではなく、教えの聞ける善知識に遇わねばなりませんが、「真の知識に遇う」と示されるように、また先きの「龍樹和讃」第九首に、

无量劫をへめぐりて
　万善諸行を修せしかど

と詠われたように真の知識か悪の知識かによって天地の隔たりを生ずるわけです。

この和讃は、どのように善知識を選ぶかではなくして、めぐり遇うことのできた感銘の深さが詠われているのですが、それならば後に続く者としては、どのようにして遇いたてまつるのかの問題が残るようです。「真」の一字で緊張しなければならないのは、如来の廻向に生きる人か、自力の廻向の余執が残るかに、その分岐点があるようです。

13

源空光明はなたしめ
門徒《もんど》につねにみせしめき
賢哲愚夫《けんてつぐぶ》もえらばれず
豪貴鄙賤《こうきひせん》もへだてなし

源空法師はそのおからだから、知恵の光明を放たれまして、念仏門のともがらにいつもお見せになりました。賢くよき人も愚かな人もその区別はつけないで、すぐれてよき人もいやしい人も、その間にはわけへだてがなかったのです。

門徒の読み方が「もんど」になっているのは注目すべきです。和讃のこの時だけなのかよく分かりません。「徒」の左訓は「ともがら」となっていますが、「朋」の意味でしょうか。この頃は

「同朋」が定着していますが、私は「同法」が最もふさわしいと考えます。その意味は「同一念仏無別道」に立つからです。『西方指南抄』中末（原漢文）を掲げましょう。

一、葬家追善事

籠居《ろうきょ》の志有らん遺弟同法等、全く一所に群会《ぐんえ》すべからざるものなり。乃至 若し然らば我同法等、我没後において各住各居して、会せざるに如《し》かじ、闘諍《とうじょう》の基となるゆえは、集会の故なり。ねがわくは我弟子同法等乃至。もし追善報恩の志あらん人は唯一向に念仏の行を修すべし。

ここに三回も続けて「同法」の文字が現れることに祖聖も留意し、法師とその法を同じうすることの感銘を深められたと思います。これほどのよい文字を指示されながら、用いることの案外少ないのは、何故でありましょうか。

ちなみに報恩の志のある人は、ひたすらに念仏をとなえよ、とあることについて、祖聖はうなずいてわがこととして受け止められたと思います。一向にというのですから何の思いもまじらないのです。どうしてみようもないから念仏申すのです。自分の力から出てきたものでないから、大きなはたらきがなしとげられていくのです。「父母孝養のために念仏したことはない」と仰せられたといいますが、そんなこわばったものはもとからないでしょう。父母に孝養できないというつらさが縁となって、念仏させられるのです。報恩に身を捧げるほどの大事業はほかにありませんが、それができない悲しみにおいて念仏申すのです。

14

命終《みょうじゅう》その期《ご》ちかづきて
本師源空のたまはく
往生みたびになりぬるに
このたびことにとげやすし

門弟たちに守られていよいよ人間としての命の終りが近づきましたとき、私の大事な師にてましますす源空法師が仰せられました。「往生の時がきたが、第一回はインドで声聞僧《しょうもんぞう》（舎利弗《しゃりほつ》であったという）となり、中国にては善導大師となり、日本では源空として、三度目の往生をとげるのであるが、今回はことに身も心も何の苦しみもなく、楽々と往生をとげることができます」と。法師は念仏を称えて念仏を生き、念仏を人に勧めて倦《う》むことがなかったので、かの岸とこちらの岸との間の垣根はとれていたようで、往生が法財となって生きております。浄土から還った還相の眼が温かく見開れているのです。

『西方指南抄』中末「源空聖人私日記」（原漢文）

或時聖人弟子に相語りて云く、我昔天竺にありて声聞僧に交わりて常に頭陀《づだ》を行じき。本は是れ極楽世界にあり、今来りて日本国に天台宗を学ぶ。又念仏を勧む、身心苦痛なし。蒙昧《もうまい》忽ちに分明なり。

この臨終行儀《りんじゅぎょうぎ》から和讃ができるのですが、頭陀行のところは次の第十五首となります。くらがりが急に明るくなるというところなどは、宗教的自己観察が鋭く、またその描き方も微に入ったものです。

15

源空みづからのたまはく
霊山《りょうぜん》会上《えじょう》にありしとき
声聞僧《しょうもんぞう》にまじわ(は)りて
頭陀《づだ》を行じて化度せしむ

源空法師が仰せられますに、霊鷲山《りょうじゅせん》における釈尊の説法の聴衆でありましたとき、聴聞の弟子たちにまじって、乞食《こつじき》の行を修して、迷える衆生をよく導いたことを想い出しますと。

霊鷲山の説法の会座に参じていたというのは、それだけ釈尊に面接する渇望が熾烈であったということです。聖徳太子も霊山の聴衆であられたと仏法縁起は伝えております。インドにては勝《しょう》鬘夫人《まんぶにん》と生まれ、中夏にては恵思《えし》禅師・南岳《なんがく》大師と申したと、「皇太子聖徳奉讃」の讃詠に見えます。

この声聞は菩薩・縁覚に対したものでなく、釈尊の説法の声を聞いてさとりを得ようとする比《び》丘衆《くしゅ》です。むしろ弥陀招喚の声を聞くと結んでも相通ずるのではないでしょうか。頭陀はドフータの音訳にて、行乞《ぎょうこつ》あるいは乞食の行です。声聞僧に食を供することによって、自らの貪欲を捨てしめるのです。よって乞食する僧に敬礼を捧げるのです。僧もまた施物を受けるにふさわしい離欲に住し、礼拝するに価する権威をもたねばならぬのです。

『西方指南抄』中本の「法然聖人臨終行儀」には、

また同じき正月三日戌《いぬ》の時ばかりに、聖人看病の弟子どもにつげてのたまわく、われはもと天竺にありて、声聞僧にまじわりて頭陀行ぜし身の、この日本にきたりて、天台宗に入りて、またこの念仏の法門にあえりとのたまいけり。その時看病の人の中に、ひとりの僧ありて、といたてまつりて申すよう、極楽へは往生したもうべしやと申しければ、答えてのたまわく、われはもと極楽にありし身なれば、さこそはあらんずらめとのたまいけり。

と、また同じく「中末」の「源空聖人私日記」には、

或時聖人弟子に相語りていわく、我昔天竺にありて声聞僧に交わりて常に頭陀を行じき。本は是れ極楽世界にあり、今来たりて日本国において天台宗を学ぶ。

と見えます。

祖聖が源空法師を阿弥陀如来の来現と仰がれましたのは、この極楽世界に由来するともいえます。このような明るい微笑を誘われるようなお言葉によって、極楽が往来自在な近隣となります。佐藤春夫が『極楽から来た』という作品によって法師の本領を描いたことは卓抜であったと今更に思います。

16 粟散《そくさん》片州に誕生して

念仏宗をひろめしむ

衆生化度《けど》のためにとて
この土にたびたびきたらしむ

源空法師は、粟つぶを散らしたような、小さなわが国にお生まれになって、専修念仏によって広大無辺の浄土に往生すべしとの、尊高なる教えを弘められました。衆生の教化救済することに使命を感じたもうて、この娑婆世界に何度も来現遊ばされたのであります。

此土に完全に死ななければ、彼土に生まれることはできません。彼土に生まれて此土をよく見る眼を開かなければ、此土において大悲を行ずることはできません。この死とか生とかいうのは、物質的な生死の中の死とか生ではなく、死して生きるという回心の仏事です。源空法師は浄土の人です。それだから娑婆の苦悩の姿がよく見えるのです。浄土の大きい眼がそなわっているから、片州にまではるかに慈光が及んだのです。このような和讃を愛誦していますと、浄土の風光が満ち溢れてきます。

17　阿弥陀如来化《け》してこそ
本師源空としめしけり(れ)
化縁《けえん》すでにつきぬれば
浄土にかへりたまひにき

阿弥陀如来が、方便をめぐらされて、人の眼に映る人の姿を現され、源空法師とおなりくださったのです。この法師に面謁《めんえつ》を得たことは、この上もない慶びです。かほどまでにかたじけない感動を覚えますのは、弥陀の化身であればこそです。われら如きのものまでも念仏往生とげやすしと、道を開いていただきましたので、即今の仕事は終ったと、浄土におかえりになりました。

一人がたすかることによって、師の化縁はすでに尽きたといえるのです。人事を尽くして天命を待つというういさぎよい言葉を聞きますが、天命が見えていないから不安が弱いかたちでかくれています。仏の命令には無理がありませんから、これを聞く人は事が完了していて、くやしいといったものが残りません。浄土にかえるということは、死が凶事ではなくて慶事であるということです。しかも別れを惜しむ人にとっては、この上もない深い悲しみが湛えられております。

18

本師源空のおわりには
光明紫雲のごとくなり（は）
音楽哀婉雅亮《あいえんがりよう》にて
異香《いきよう》みぎりに暎芳《えいほう》す

源空法師のおかくれに際しましては、紫雲が明るくただようて、その中に光明の仏身が見えたといいます。空中から聞えてくる楽の音色は、いつくしみの情がこもり（哀）、しとやかにすんで（婉）みやびやかでしなやか（雅）、音がよく通ってほがらか（亮）であり、くらべるもののないよいかおりが、法師のいます禅房よりそのあたりまで、かがやきこうばしくたちこめました。

『西方指南抄』中本「法然聖人臨終行儀」

建暦二年正月二十日巳《み》の時に、大谷房の上にあたりて、あやしき雲、西東へなおくたなびきて侍《はべ》る中にながさ五六丈ばかりして、その中にまろかなるかたちありけり。そのいろ五色にして、まことにいろあざやかにして、光ありけり。たとへば、絵像の仏の円光のごとくに侍《はべ》りけり。みちをすぎゆく人びと、あまたところにて、みあやしみておがみ侍りけり。

又、同じき日午《うま》の時ばかりに、ある御弟子申していうよう、この上に紫雲たなびけり。聖人の御往生の時、ちかづかせたまいて侍るかと。乃至

このような臨終の模様が、時を刻むように描写されているのですが、描かれる師も念仏の中、描く弟子も念仏しつつ、浄土の光景に参じているようです。繰返し紫雲のたなびきが述べられます。この光景をこの一種に詠われたものです。

ここに自ずと想い出されますのは、『平家物語』「潅頂《かんじょう》の巻」の安徳帝の母建礼門院の終りの述べ方です。

御念仏の声ようよう弱らせましましければ、西に紫雲たなびき、異香室にみち、音楽空にきこゆ。

と。貴人の終りはかくやとばかりの実景も浮びます。念仏の信者は貴人です。祖聖はこのような風光を、さもありなんとすなおにとうとびつつ、自らは臨終にかかわることなき、大いなる救いを身一杯に受けて、凡夫に無理な注文のないことを悲喜したもうたのです。

19 道俗男女豫(預)参《よさん》し
卿上《げいしょう》雲客群集《くんじゅう》す
頭北面西《ずほくめんさい》右脇《うきょう》にて
如来涅槃の儀《ぎ》をまもる

「卿上は公卿《くぎょう》人、雲客は殿上《てんじょう》人」と左訓に出ます。法師の御臨終が近づいたと伝え聞いて、出家在家を問わず男も女も、心ひかれて参上し、公卿も殿上人もむらがり集まりました。法師は頭を北にし、面を西方浄土に向け、右脇を下にした形で、御往生をとげられたのでありますが、これは釈迦如来が涅槃に入られた、仏者としてのごく自然な姿形を守られたのであります。

『西方指南抄』中本「法然聖人臨終行儀」

さりながら、時時、また高声の念仏まじわりてきこえ侍りけり。これをききて、房のにわのまえに、あつまりきたりける結縁《けちえん》のともがら、かずをしらず。聖人、ひごろつたえもちたまいたりける慈覚大師の九条の御袈裟《けさ》をかけて、まくらをきたにし、おもてを西にして、ふしながら名号をとなえて、ねむるがごとくして、正月二十五日午《うま》の時のなかばかりに往生したまいけり。そののちよろずの人びと、きおいあつまりて、おがみ申すことかぎりなし。

20 本師源空命終時《みょうじゅうじ》
建暦《けんりゃく》第二壬申歳《にんしんさい》

初春《そしゅん》下旬第五日
浄土に還帰《げんき》せしめけり

私どもの本師にましますす源空法師の命終遊ばされましたのは、建暦二年、みづのえさるのとし、正月二十五日のことでありました。「捨此往彼、蓮華化生」の本懐を遂げられたのです。浄土の人が浄土から来て、なすべきを終って、まさしく浄土におかえりになったのであります。往還二廻向に示されるように、浄土に往生して、衆生救済の方法と力とを得て、生死のちまたに活動することを「還」ともいうし、ここにあるように、弥陀の本国たる故郷と受け止めて往生をとげることを、「還」とも表現するのであります。還は往がなければ成り立ちません。還は必ず往を呼びおこします。往も還も自らのはからいやきめこみでなく、大悲本願に感応することによって、往も還も光彩を放つのです。

この往生の二十五日を記念して、念仏の同法が集り信心を磨きたしかめ合う、帰依の日となった証拠が見えます。

「御消息集」八、性信房宛

聖人の二十五日の御念仏も、詮ずるところは、かようの邪見のものをたすけん料にこそ、申しあわせたまえと申すことにてそうらえば、よくよく念仏そしらんひとをたすかれとおぼしめして、念仏しあわせたもうべくそうろう。

この書簡は祖聖八十四歳のものと跡付けられているから、関東の地を去ってから約二十五年も経ていても、自分の設定した二十五日という念仏の集いの模様を、伝聞によってまざまざと描いていたことが知られます。二十五日の重要視は、祖聖がどこまでも自己を主座に据えなかった証差とみることができます。

さてこれにて「高僧和讃」は終るのですが、ここに添えられた「後書」をそのまま掲げましょう。

　　　　己上源空聖人
　　己上高僧和讃一百十七首
弥陀和讃高僧和讃都合
　　　　二百二十五首
宝治第二戊申歳初月
　下旬第一日釈親鸞七十六歳
　書之畢
見写人者必可唱南无
阿弥陀仏

これらを拝見して、留意すべき点を述べます。「都合二百二十五首」とありますが、この計算では「大勢至菩薩和讃」が、数に加えられていません。この和讃はこれ以後に出来たのでしょう

が、どうしてこの後述が訂正されていないのであるか、すでに手許を離れて関東の同法にとって
の大切な証文となっていて、訂正のゆとりがなかったのでありましょうか。どの程度後になって
付加されて、現行の形となったものか、わからないことです。
「源空勢至と示現し」と詠われましたように、勢至すなわち源空でありますから、「源空讃」
からやや時を経て、追想が興り「勢至讃」として別立しつつ、源空への憶念をこめて、

念仏のひとを摂してこそ
浄土に帰せしむるなり
大勢至菩薩の
大恩ふかく報ずべし

と讃詠される順序となったものでありましょうか。
さてもう一つ「弥陀和讃」との用語は、「浄土和讃」と同義語です。「正像末法和讃」を結ぶに
当っても、

己上正像末之三時
弥陀如来和讃
五十八首

と記されるのですから、和讃はどこまでも「弥陀和讃」であることを知ります。同時に弥陀如来
すなわち浄土であり、浄土は弥陀の大悲願海を離れてはないものです。

このようにして希有の讃詠に対したてまつり、浅薄なはからいを加えてきましたが、ゆがめる解釈になりましたところは、わたくしの信心の不純の罰をこうむります。了解し得たりと思っているところも、それが身勝手な自己解釈であったことにふと気づきます。和讃のいずれを拝誦しましても、如来廻向の信心の声が聞こえてきます。信心を歌に詠みあげたというよりも、信心が歌っているのです。大悲の心音が響くとともに、懺悔《さんげ》が通奏低音となって聞こえてきます。わたくしの生存は時処諸縁の強弱はありますものの、この音調に支えられていることを感じます。

本願念仏をすすめた浄土の大士として選ばれた七高僧の讃詠ではありましても、そこには懐感や法照や少康等々も列座して無限のひろがりを見せます。それは諸仏が称揚し咨嗟《ししゃ》する実景です。七高僧となった諸仏の護念証誠《しょうじょう》が、信心の歩みをたしかならしめたのです。七高僧の信心の智慧にはたらかれ、それに明朗なる讃仰をもってお応えし、それがそのまま祖聖の信心表白となっております。

著者略歴

川瀬和敬（かわせ　わけい）

明治44年に生まれる。

真宗高田派鑑学。高田短期大学名誉教授。

平成18年７月示寂。

著書に『親鸞聖人への道』『火中生蓮』『感応道交』『浄土和讃講話』『浄土高僧和讃講話』『正像末法和讃講話』『皇太子聖徳奉讃講話』など。

新装版　浄土高僧和讃講話

一九九四年二月二〇日　初　版第一刷発行
二〇二〇年八月二〇日　新装版第一刷発行

著　者　川瀬和敬
発行者　西村明高
発行所　株式会社　法藏館
京都市下京区正面通烏丸東入
郵便番号　六〇〇－八一五三
電話　〇七五－三四三－〇〇三〇（編集）
〇七五－三四三－五六五六（営業）

装幀　山崎　登
印刷・製本　亜細亜印刷株式会社

ISBN 978-4-8318-6573-1 C0015